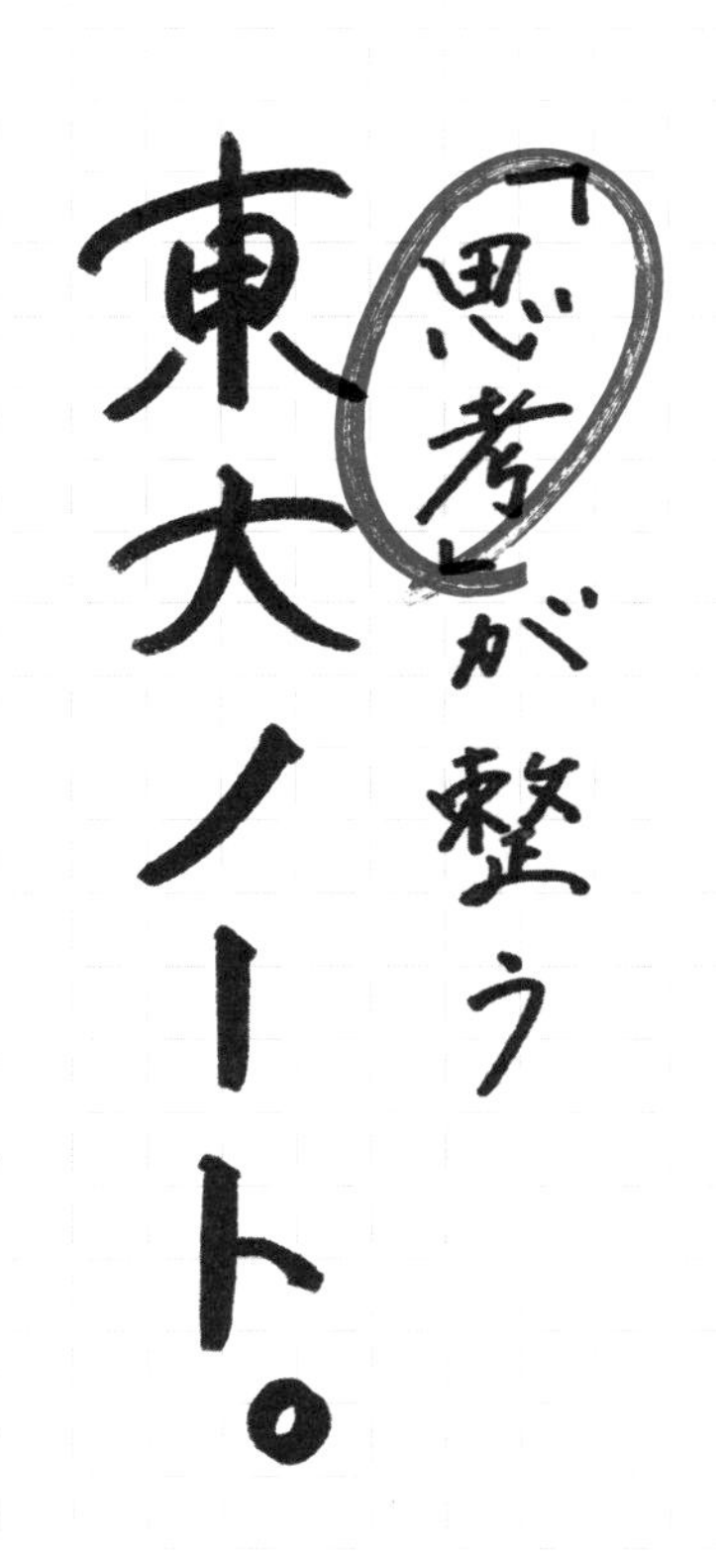

「思考」が整う東大ノート。

現役東大生
西岡壱誠 著

ダイヤモンド社

はじめに ―「ノート」こそ、頭をよくする源泉

「頭がいい人って、なんで頭がいいんだろう？」

みなさんは、そんなことを疑問に思ったことはありませんか？


同じ時間をかけて勉強をしていても、成績が上がる人は上がりますし、そうでない人の成績はあまり上がりません。

同じ本を読んでも、多くの情報を得られる人は得られますし、そうではない人は全然情報を得られません。

同じことをしていても、頭がいい人とそうでない人に分かれる。ここには、大きな隔たりがあると感じること、結構あるのではないでしょうか。


「この隔たりって、一体、なんだろうか？」

僕は誰よりもこの疑問と向き合って今日まで生きてきた自信があります。

僕はもともと、はっきり言って「バカ」でした。

高校3年生のときの模試の偏差値は35で、英語の成績は100点満点中3点。勉強していないからその成績だったのかというとそうではなく、きちんと1日1時間、勉強机に向かっているのに一向に成績が上がらない典型的なバカでした。

そこで、僕はあることをしました。それは、頭のいい人からノートを見せてもらうことです。「どんなノートを取っているの?」と、50人以上の友達から話を聞いたのです。

やはりというか、東大に合格するような人たちのノートの取り方って、全然違います。情報が丁寧にまとまっていて、あとから読み直しても読みやすい。

ノートには、その人の思考回路や、思考の型が如実に表れます。論理的に整理されたノートを取っている人は、やはり論理的に考えることができるのだと思います。

そして、そんなノートを作っているから、東大生は頭がいいのだと思います。逆に、その当時の僕のノートは、見直しても意味がわからないものになっていたり、雑でどの出来事が繋がっているのかわからなくなっていたり、僕の頭の中を表したかのように「ごちゃごちゃ」でした。

それに気付いてから、僕は頭のいい人のノートの作り方を真似しました。とにかく頭のいい人のやり方・思考法をパクりまくった結果、偏差値35だった僕は東大に合格することができました。

ということで、最初の「この隔たりって、一体、なんだろうか？」の質問に対する僕の答えは、「**ノート**」だと思います。

ノートを上手に作ることができれば、頭の中を整理して、あとから見直すときにもきっと効果が出るようになる。**ノートこそが、頭のよさの源泉**なのです。

本書の企画は、そんな僕の気付きからスタートしました。

１０００人以上の東大生のノートやメモを集めて、「どんなノートを作れば頭がよくなるのか」「賢い人の思考回路はどのようにノートに表れているのか」を徹底的に分析した結果を、本書では紹介しています。

「でも、東大生のノートなんて、難しいんじゃないの？」と思う人もいるかもしれませんが、そんなことはありません。なんといっても、僕でもできたのですから。

本書が、多くの人の頭をよくするお手伝いになれば幸いです。

目次

第1章

東大生はどうやってノートを取っているのか

第2章

メモノートの作り方

第3章
インプットノートの作り方

第4章

アウトプットノートの作り方

定着

第1章

東大生はどうやって ノートを取っているのか

東大生がノートを取る目的とは？

この本では、「ノートやメモをどのように取ればいいのか」をお話ししていくわけですが、まずはそもそも東大生がどんな風にノートやメモを作っていて、そして使っているのかについて、みなさんにお話ししたいと思います。

そのために、まずはひとつ、みなさんに考えていただきたいことがあります。

東大生は、ノートをどのように使っていると思いますか？

そして、どんな目的で、ノートやメモを取っているのでしょうか？

実は、東大生のノートの取り方って、目的の部分から特殊です。

普通、ノートって「あとから見返したときに復習できるように取るもの」ですよね？　会社でもよく、上司が部下に対して「メモを取らないでいいのか？　同じことは、2回も言わないぞ！」なんて言っていることもあります。

おそらく、多くの人のノートやメモを取る目的は「1回で覚え切ることができないから、あとからチェックできるようにするため」だと思います。

しかし、それだけがノートやメモを取る目的なのだとしたら、今の時代、もう必要がありません。なぜなら、スマホで写真を撮ることもできますし、相手の話をボイスメモで録音して文字起こしアプリで文字にすることもできるからです。

ノートを取るのに10分かかったとしても、写真を撮るのには1秒もかかりませんね。ボイスメモだって、今はとても精度のいいものがあります。それに、ノートやメモなら何かを間違えて記述してしまうこともあるかもしれませんが、写真やボイスメモならそんなことは起こりません。**「あとからチェックする」目的でノートやメモを取るのは、はっきり言って時間の無駄でしかありません。**時代遅れの行為だと言っていいでしょう。

勘違いされている方も多いかもしれないのでここではっきり言っておきますが、東大生は写真もボイスメモも多用します。授業では写真を撮っていますし、ボイスメモで録音してあとから聞き直せるようにもしています。授業中はメモを取らず、教授の話にずっと耳を傾けて、相手の話を理解することに心血を注いでいる東大生もいます。また、撮った写真やボイスメモを他の人とシェアしたり、休んだ人に渡していたりもします。東大生だからといって、紙のノートやメモしか使わない、というわけではまったくないのです。

ノートは情報を「整理・理解・変換」するためのもの

「え!? 東大生がノートを取らないんだったら、この本はなんなの!? 騙された!?」と思った方もいるかもしれませんね。大丈夫です、落ち着いてください。僕は詐欺師ではありません。

僕がお話ししたいのは、**東大生は、「あとからチェックする」目的でノートや**

メモを取らない、ということです。その証拠に、**東大生は授業中に写真やポイスメモを使った上で、授業後になってノートやメモを取っています。**授業時間内にはノートやメモを取っていない学生たちも、授業後にノートやメモを取っているのです。

だから、東大生の授業の受け方ってかなり特殊な場合が多いです。普通は授業中にノートやメモを取って、終わったら教室を出ると思うのですが、東大生は授業中にはノートやメモを取らず、終わってから教室に残ってノートやメモを取っていることが多いのですから。

さて、では彼らは授業が終わってから、どんなノートやメモを取っているのでしょうか？　それは、「咀嚼（そしゃく）」です。**手に入れた情報を、整理して、理解して、説明できる状態に変換する行為をしている**のです。

手に入れた情報をあとからチェックするためにノートを取っている学生なんていません。その知識を自分のものにするために、情報を咀嚼するノートの取り方をしているのです。

東大生が使っている3つのノート術

みなさんは、歯は丈夫ですか？

食事の際に、歯が丈夫な人は、硬い食べ物であっても、噛み砕いて細かくして、おいしく食べることができますよね。

勉強も食事も、似たようなものです。どちらも、そのままでは身体に入らないモノ（情報／食事）を、噛み砕いて、分解して、身体に入れる行為ですからね。

そしてその意味で、東大生は、「歯が丈夫」なのです。

どんなに難しい情報であっても、膨大な量の情報であっても、その丈夫な歯で噛み砕き、情報を整理して、飲み込みやすくして、おいしく食べることができる。だから彼らは東大生になれているのです。

その上で、この**「情報を噛み砕いて食べやすくする」**ための方法こそが、ノ

ートやメモを「取る」行為なのです。

ノートやメモを取るのは、あとからチェックするためのものではなく、情報をおいしく食べるための行為です。**ノートやメモを取ること自体が頭をよくする行為**なのです。

この意味で、東大生にとって、ノートやメモは「歯」だといってもいいかもしれません。現実にみなさんの歯が悪くなってしまっているならば、僕は歯医者に行くことをおすすめします。ですが、勉強の場合、歯は悪くはなりません。むしろ、この本で「歯磨き」をすれば、誰でも必ず、情報を噛み砕くためのいい〝歯〟が出来上がります。

きちんと情報を整理して、分解して、身体に覚え込ませられるようになりましょう！

さて、この本ではノートやメモを取る行為に関して、3つの方法を共有します。大きいものを食べるときと、味わって食べるときとでは、歯の使い方って若干違いますよね？ 同じように、**情報もタイミングに応じて「食べ方」が変わってくる**のです。

1つ目は、「**メモノート**」です。これは、**分解・整理**を目的としたノートの作り方で、2章でご説明します。

2つ目は、「**インプットノート**」です。これは、**記憶・暗記**を目的としたノートの作り方で、3章でご説明します。

3つ目は、「**アウトプットノート**」です。これは、**理解・定着**を目的としたノートの作り方で、4章でご説明します。

基本的に、ノートはこの3つの目的をしっかりと意識して取る必要があります。

議事録などのちょっとした軽いものをメモするときには1つ目のメモノート、いろいろなものを覚えなければならないときのノートならば2つ目のインプットノート、自分の中でしっかりと定着させたいと思っているのであれば3つ目のアウトプットノートを作ってもらえればと思います。

頭がいい人は「分解」ができる
―メモノートの目的

具体的なノートの作り方は2章から順番に、実際のノートもお見せしながらお話できればと思っています。

ただ、その前に、この使い分けを考えるときに必要な、それぞれの目的の違いについてお話しさせてください。

まず、**メモノートの目的の分解と整理**です。多くの人は、「分解」という言葉って聞き馴染みがないですよね。ですが、僕は**頭のいい人って、分解能力がある人**だと考えているので、分解という言葉はノートやメモを取るときに重要になるキーワードだと思っています。

たとえばみなさんが、こんなことを上司に言われた部下だとします。

「えーっと、実は明日から3日間、隣のビルの改修工事があるらしいんだよね。で、改修工事だからおそらくうるさくなるんじゃないかなと思うんだよ。でも、まだ実際に工事は始まってないからどれくらいうるさくなるかがわからないんだよね。もし明日、俺が出社して『ああ、これはさすがにこのオフィスでは仕事を集中してできないな』と思ったら、俺の部のみんなは近くのカフェとか、自宅とかで、リモートで仕事してもいいことにしようと思うんだよ。まあ、うるさくなかったらみんなにも連絡しないで、いつも通りにしてもらおうと思っているんだけどさ。ま、俺は明日みんなより早く、9時くらいに出社するから、そのタイミングでみんなに連絡入れるようにするね。よろしく！」

で、上司から「この話、今ここにいないAさんにも共有しておいて！」と指示を受けました。このあと、みなさんならどのように情報を整理して、Aさんに共有しますか？

「分かる」とは「分ける」こと

このように、**情報が整理できていないときに作るのが、メモノート**です。そして**情報を整理するときに必要なのが、分解**という行程です。

まず、この上司の話は、３つの段階に分解できます。「**事象**」と、「**打ち手1**」「**打ち手2**」です。打ち手とは、「その事象について、どういう対策をするのか」ですね。そして「事象」、つまり「事実として何が起こったのか」は、また２つに分解できます。

- **明日から3日間、隣のビルの改修工事が行われる**
- **工事なので、騒音がある可能性がある**

次に「打ち手1」です。これは3つに分解できます。

- **明日の9時に上司が会社に来る**
- **そこで、騒音があれば部内のメンバーに連絡**
- **連絡が来た場合は、カフェや自宅など、リモートで仕事可能**

最後は「打ち手2」、もうひとつの打ち手ですね。これも2つに分解できます。

- **明日の9時に上司が会社に来たときに、もし騒音がなければ、上司から連絡はなし**
- **この場合、通常通り出社する必要がある**

となります。

ということで、先ほどの話は大きく分けて3つ、細かく言うと7つに分解できるわけです。

「事象」
・明日から3日間、隣のビルの改修工事が行われる
・工事なので、騒音がある可能性がある
「打ち手1」
・明日の9時に上司が会社に来る
・そこで、騒音があれば部内のメンバーに連絡
・連絡が来た場合は、カフェや自宅など、リモートで仕事可能
「打ち手2」
・明日の9時に上司が会社に来たときに、もし騒音がなければ、上司から連絡はなし
・この場合、通常通り出社する必要がある

このように、**分解することで、整理できてわかりやすくなる**わけですね。

「分かる」とは、「分ける」ことである、という説があります。つまりは、何かを理解するためには、分解することが必要だから、「分かる」という字には「分ける」の「分」という漢字が使われているのだ、と。

これが真実かどうかはわかりませんが、たしかに、「分かる」と「分ける」は本質的には同じものです。**自分が理解できる大きさになるまで分解することで、物事を理解できるようになります。**どれだけ大きな情報であっても、長ったらしい文章であっても、分解していけばいつかは分かるようになるわけです。そういう意味で、整理とは分解のことであり、分解できれば頭も整理されるというわけです。

情報をわかりやすい大きさまで分解し、頭を整理することで理解できるようなノートの取り方をするのが、メモノートなのです。

メモノートは頭を整理できる！

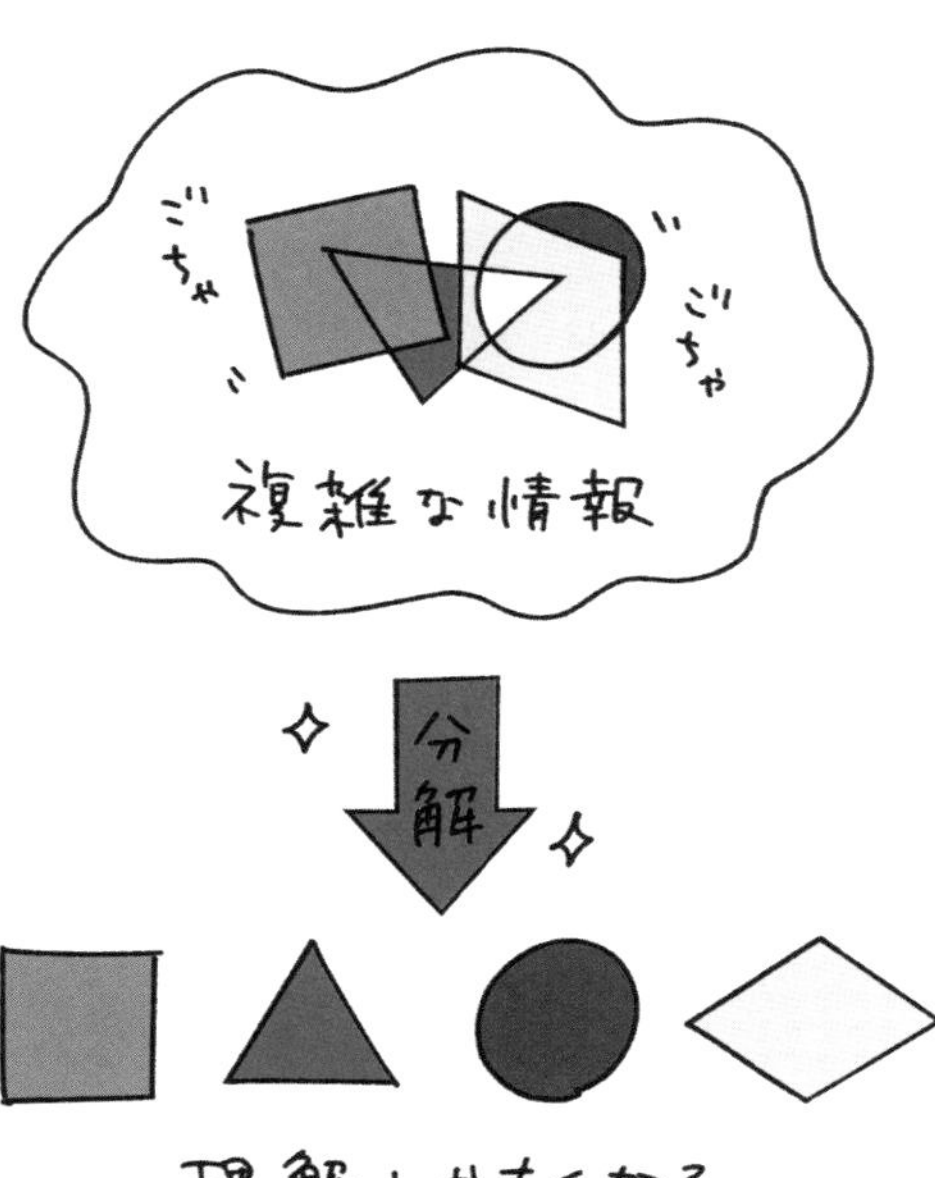

理解しやすくなる

情報を整理して「記憶量」を増やす
――インプットノートの目的

次に、**インプットノートの目的の記憶と暗記**です。

これは、「関連性を意識する」行為が必要になってきます。

たとえばみなさんは、次の単語のことを1分で覚えてください、と言われたら覚えられますか？　スペルは書けるようになる必要はありませんが、意味は答えられるようにしてください。

1．inactive＝非活性
2．inability＝無力
3．immoral＝不道徳
4．impossible＝できない

さて、できますか？　おそらくパッと1分で覚えられる人は少ないのではないでしょうか。

in/active＝非/活性
in/ability＝無/力
im/moral＝不/道徳
im/possible＝不/可能

in/im 否定の意味

でも、上図のようなノートがあったら覚えられるのではないでしょうか？

整理の仕方を工夫する

少し解説すると、「ミッション：インポッシブル」という有名な映画がありますね。あれは、impossible（不可能）に思えるmission（使命・命令）をクリアする、という映画です。

この単語は、possible（可能）という単語の頭に、否定を表すimがくっついて、「可能ではない」、つまり「不可能」という意味になっています。これと同じように、今回紹介した単語はすべて、既存の単語に否定のin/imがくっついて、「不〇〇」「無〇〇」「非〇〇」という意味になる単語だったわけです。こうしておけば、「うーん、なんだっけ?」となっても、「不〇〇」「無〇〇」「非〇〇」なのは確かなんだけど……と知識の取っ掛かりを作ることもできますよね。

このように、いろいろな情報に対して、関連性を見出したり、繋がりを見つけたりすることで覚えやすくなるのです。

そして、それをノートに書いて整理し直すことで覚えやすくするテクニックがあります。

たとえば、最初に示した例と今回のノートで、書いている内容を変えたポイントがあったのですが、どこかわかりますか?

実は、「impossible=できない」を、「impossible=不可能」と書き換えました。これは、「in/im否定の意味」と書いたので、これに合わせてすべての単語が「不〇〇」「無〇〇」「非〇〇」となるように整理した方が、覚えやすくなると考えたから、形を揃えたのです。このように、**ノートに整理するときに覚えやすくするための工夫をすることで、物事は覚えやすくなります。**頭に残りやすいように、そして忘れないように、物事を整理できるようになったわけですね。

記憶力がいいから物事を覚えられるのではなく、基本的には整理の仕方がうまいから記憶することができるのです。

きれいに整理すると「記憶量」が増える

たとえば、脳をひとつのタンスとして、そのタンスに情報を入れていく行為を「記憶する」と定義しましょう。この場合、多くの人は「記憶力のいい人＝そのタンスが大きい人」だと思うでしょう。「タンスが大きいから、いろいろな情報が頭に入りやすいんだな」と。しかしこれは間違いで、タンスが大きいから情報を多く中に入れられるのではなく、タンスの大きさ自体は同じであっても、情報の畳み方がきれいだから、うまく収納スペースを使えるのです。大きさは同じでも、情報の整理の仕方によって覚えられる量は大きく変わります。

服をぐちゃぐちゃに入れるのではなく、丁寧に畳んで収納したい。そしてそう考えるときに、ノートを取るのは情報をうまく畳むことだと言えるでしょう。

このように、**情報をうまく整理することで記憶量を増やすノートの取り方をするのが、インプットノート**なのです。

インプットノートは記憶量が増える！
タンス（脳）
ぐちゃ
ぐちゃ
記憶量
服（情報）
整理
すっきり！
記憶量
情報の整理がうまいと
たくさん記憶できる！

「自分」を通すと定着しやすい
―アウトプットノートの目的

最後は、**アウトプットノートの目的の理解と定着**です。

これは、先ほどのインプット、つまり情報を覚えたり暗記したりすることの一歩先に進んで、自分なりに解釈して、深く理解することを指します。

たとえば、みなさんが本を読んでいて、こんなことが書いてあったとします。

「返報性の法則」があります。これは、人間が持つ罪悪感を利用したテクニックです。人間は、「もらったものは返さなければならない」と感じてしまいます。たとえば、試供品をタダでもらったときに、なんとなく罪悪感が湧いて「こちらも何か返さなければならないのではないか?」と思って、つい商品を買ってしまう人もいるでしょう。このように、人間は何かをもらったらお返ししたいと思う心理がはたらくのです。これを利用して、まずは相手に対してタダでこちらから情報や物品を渡すのです。たとえば相手の出身が聞きたいときは、まず自分が「〇〇県出身なんです、あなたは?」と聞いた方が、相手も答えなければという気持ちになります。このように、こちらが先に渡すことで、相手の方から欲しい情報をもらったり、欲しいものをもらうことができる場合があるのです。

ここに書かれている内容を、自分も使えるようになりたい! と思ったら、みなさんはどうしますか? どんなことをノートにまとめますか?

重要なのは、**要約**することです。要約とは、いろいろな情報を削ぎ落として、本当に重要な部分のみを抜き出して、「一言で言いまとめる」行為のことです。それが文章であれば相手が一体何を言いたいのかを考えて、ひとつにまとめていく作業のことを指します。それが重要な情報であれば、その情報の中で真に重要なポイントのみを抜き出します。

そして、このとき重要なのは、**「自分にとって」重要だと思ったポイントを抜き出さなければならない**ことです。**他人ではなく、自分自身が、ここが重要である、と思ったポイントを抜き出さないと、結局あとから自分で整理することはできない**のです。

今回の場合、みなさんは「返報性の法則」の中の、何を重要だと捉えましたか？

今回、みなさんが何を重視しているかはわからないので正解はないのですが、こんなノートがあり得ると思います。

返報性の法則：相手から情報が欲しいときに、先にこちらから情報を開示する方が、成功率が高いこと。
例：相手の情報が欲しいとき ↓ 自分の情報を先に伝える

これは、自分なりの整理の仕方で問題ありません。何度も言いますが、ここで重要なのは自分がどうまとめるか、その情報をどう使いたいか、だからです。

この場合、「情報を相手から得るテクニック」としてノートをまとめてみました。でも、別にそれに縛られる必要はまったくありません。人によっては「相手からものをもらうためのテクニック」として捉えることでしょう。また人によっては、「自分が騙されないために、ただでものをもらわないようにしよう」と考える人もいるかもしれません。

このように、**自分なりに要約して、理解し、その情報を自分の中で定着させていくノートの取り方をするのが、アウトプットノート**なのです。

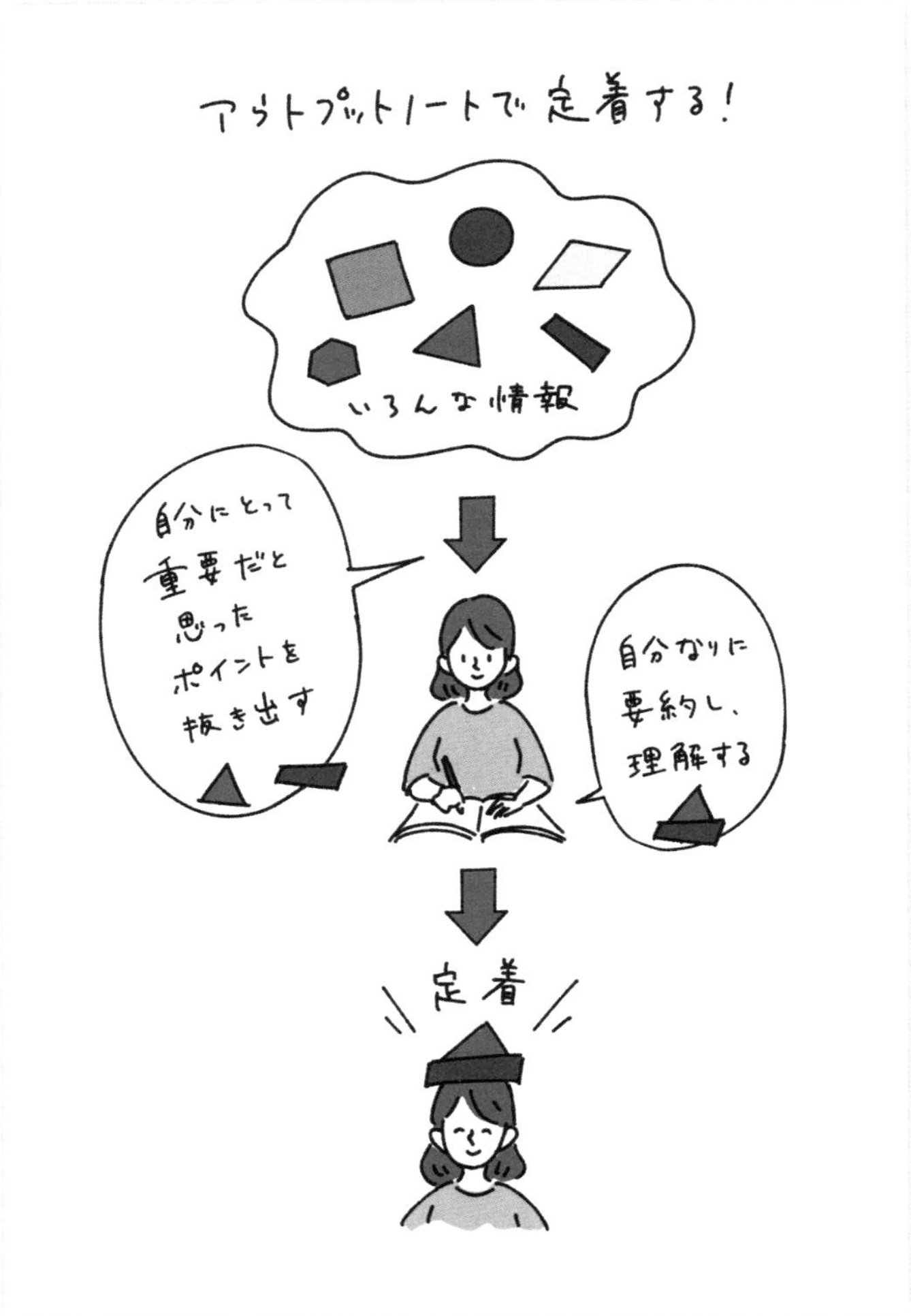

アウトプットノートで定着する！

いろんな情報

自分にとって
重要だと
思った
ポイントを
抜き出す

自分なりに
要約し、
理解する

定着

「自分で」ノートをまとめる意味

「分解して整理するメモノート」「覚えやすい形にするインプットノート」「自分なりに解釈して深く理解していくアウトプットノート」。この3種類の使い分けをしっかりと理解して、ノートを取っていくようにしましょう。

さて、1章はこれで終わり、2章からはこの3種類のノートを具体的に見ていくわけですが、最後にひとつ伝えさせてください。

先ほどもお話しした通り、「自分なりに」という要素は非常に重要です。自分でまとめなくても、わかりやすいメモとかインプットのための情報整理とかは、誰かがやってくれているのを写す手段もありますよね。それでも、そんなことはせず、自分でノートをまとめるのは、とても意義深いことなのです。

「情報」を、一度「自分」というものを通過させて、「ノート」に整理する。

「自分」でやった方が、頭に定着しやすくなるわけですね。そういう意識で、「自分で」やるんだと考えながら、ここからの話を聞いてもらえればと思います。

第2章

メモノートの作り方

メモノートを作るには、どうすればいい？

ではここから、**メモノート**、つまりは**メモを取って整理し、理解しやすくするためのノートの作り方**をお話ししようと思います。

まずは「タイトル」をつける

デジタルであれ手書きであれ、生きているうちにみなさんは否応なく、メモを取らなければならないタイミングが来ると思います。たとえば会議で議事録を取らなければならないときとか、先方と打ち合わせが終わってそこで決定した事項を整理しなければならないときとか、読書をしたあとや授業を聞いたあとに思考を整理するときとか。

しかし、このときに油断してしまうと、メモを取る意味がまったくないような、頭も整理できないし、あとから振り返っても「なんだこれ?」と思ってしまうような、そんなメモを取ってしまうことになるかもしれないのです。

たとえば、会議が終わったあとにこんなメモを残していませんか?

・霜月さんは料理が得意なので料理を担当
・7月4日の晩から1泊2日でコンドミニアムの宿を借りている
・交流会がメインなので、積極的に新メンバーの進藤さんを中心に据えること
・買い出し班は1課のメンバーが担当
・参加費は1人5000円
・この際には料理担当の霜月さんが指揮を取ること
・パーティーグッズ関連の手配は2課が担当し、青山さんが指揮
・18時からパーティー開始、時間厳守、遅れる場合は常守さんに連絡を

……まあ、これでも、「わからなくはない」レベルの議事録ですね。

でも、なんだか情報が全然整理されていないから、頭に入りにくいです。これがメールで送られてきたとしても、会議に参加していなかった人にはあまり伝わらないと思います。

では、こんな議事録だったらどうでしょう？

【新メンバー交流会について】

○概要

新メンバー進藤さんを迎える交流会を行う

●日時・費用

7月4日18時〜　1人5000円

◉時間厳守、遅れる場合は常守さんに連絡を

●場所

コンドミニアム

●各担当　リーダーは傍線
買い出し↓1課メンバー：霜月さん　正岡さん　常守さん
パーティーグッズ↓2課メンバー：青山さん　進藤さん　須郷さん
◉料理担当は霜月さん

これならわかりやすいですね。情報が整理されていて、パッと頭に入りやすいです。

さて、先ほどのメモと今のメモ、実は大きな違いはありません。ただ、ひとつの要素が加えられています。

それこそが、「**タイトル**」です。**メモノートではまず、タイトルや見出しをつけることから始まります。**

「順序」を立てる

みなさんは、目次のない本を読んだことはありますか？

僕から聞いておいて大変申し訳ないのですが、まあ、ないですよね。小説であれビジネス書であれ、目次は存在していると思います。

でも、想像してみましょう。目次のない本には、目次にできるような章立てもありません。同時に見出しもないし、まとめのページなどもない。

ただ、文章がだらだらと、連なっているだけです。

おそらく、読みにくいでしょう。そこにあるのは情報の羅列でしかなく、読んでいて頭がクラクラしてしまいます。みなさんも、1行も改行されていないすごい長さのＬＩＮＥが届いたら、誰からの連絡であってもまず、「うわあ、読みたくないなぁ」と思うでしょう。こういう情報の羅列は、カオスな状態でしかないと思います。

ここに必要なのは、**秩序**です。カオスな状態を、整理して、秩序のある姿にする必要があります。

さて、秩序は英語でorderと言いますが、orderにはさまざまな意味があります。整理整頓された状態のこともorderですし、順番のこともorderです。Alphabetical orderで「アルファベット順」なんて言います。

ちょっと脱線しますが、辞書でもよく使われているこの「アルファベット順」は本当にきれいな分解の仕方だと思いませんか？

さまざまな英単語がカオスに並んでしまっているところに、単語を「aの単語」「bの単語」「cの単語」とタグ付けして分解していく。そしてその単語の中でまた、「aの単語の中で、次もaの単語」「aの単語の中で、次がbの単語」と順序立てていく。

こうすることで、どこに何の単語があるのか、一目見てわかるようになるわけです。

僕は、ノートに必要なのはこの、「アルファベット順」のような「順序」だと思います。

カオスな状態のいろいろな情報を「aの単語」「bの単語」「cの単語」と、**一定のルールに則ってタイトルをつけて、順序立てて説明していく必要がある**のです。

覚えておいてください。**メモノートにおける分解・整理の最終ゴールは、この「タイトルをつけて順序立てていく」**ことになります。

交ざった情報を「分解」する

混沌としたノートを秩序のあるわかりやすいノートに整理しなおすことには、もうひとつ大きな意味があります。それは、「**交ざった情報を分解できる**」ことです。

僕も文章を書くライターの一人として言わせていただくのであれば、文章を書いたり情報を伝えたりするとき、一番気をつけなければならないのは、情報が交ざってしまうことです。

たとえば、「黒瀬さんは野口さんが牧村さんに違う仕事を頼むことを不安に思っている」という文があるとします。これ、一見すると意味がわかりませんよね？ なぜなら、２つの事象が交ざってしまっているからです。

ですから、整理しないと、意味がわからなくなってしまいます。

A　野口さんが牧村さんに違う仕事を頼む
B　黒瀬さんはAが不安

という感じですね。ひとつの文に情報量を詰め込もうとすればするほど、頭の中が整理できなくなり、意味がわからなくなってしまうのです。

ちなみに恐ろしいことに、頭がいい人であればあるほど、ひとつの文の情報量がとても多くなってしまうことがあります。頭の回転が速いから、とにかく早く物事を進めようとして、事象が交ざってしまいがちなのです。

でも、複数の情報が交ざってしまうことは、実は危険を孕（はら）んでいます。その情報の本質が見えなくなってしまうのです。

たとえば、みなさんがバイトしているレストランで、ある日こんなことを店長から言われたとします。

「この前、このレストランに対して『注文をした商品が届くまでの時間が遅い』というお客さんからの声があって、自分も前々から調理時間が長いと思っていたので、今度から調理の時間を短縮できるような調理器具の導入を進めようと思う」と。

でも、店長のこの提案で、本当にそのレストランのクオリティが上がるかどうかはわかりません。なぜなら店長は、複数の情報を交ぜて語ってしまっているからです。

A　レストランに対して、『注文をした商品が届くまでの時間が遅い』というお客さんからの声があった
B　店長は前々から調理時間が長いと思っていた
C　今度から調理の時間を短縮できるような調理器具の導入を進めようと思う

さて、この中で「厳然たる事実」と「想像に過ぎない事象」はどれでしょう？

事実は言うまでもなく、Aですね。お客さんからそういう声があったのは事実で

す。そしてBは、現段階では想像に過ぎません。「調理時間が長い」は、店長の感想であり、事実かどうかは確認できていません。

同時に、Bの意見に立脚したCの提案もまた、これで本当にうまくいくかわからない、「店長の勝手な想像に立脚した、解決案のひとつ」でしかないわけです。

たしかに調べてみたら調理時間が普通よりも長いのかもしれません。でも、たとえば注文の伝達が遅いとか、できた料理を持っていくための人員が他より少なくて足りないとか、別の原因だって考えられます。事実なのは、ただ、レストランに対して、『注文をした商品が届くまでの時間が遅い』というお客さんからの声があった点だけなのです。

このように、「厳然たる事実」と「想像に過ぎない事象」が交ざってしまうと、結果的に明後日の方向に物事が進んでいってしまうかもしれないのです。

交ぜてはいけない情報が交ざると、ロクなことにはなりません。**交ざった情報をきちんと分解し、ひとつひとつの文・事実と事象などに分けていくことで、頭の中は整理されていく**わけですね。

先ほど1章でもお話ししたとおり、「分かる」は「分ける」と同義だと僕は思っています。**交ざってしまってよくわからないものを、きれいに切り分けることで、自分にとって理解可能なものにしていく……それこそが、メモノートの真の価値**だと言えるのです。

A≫オーダールール
──情報の「レイヤー」を揃える

ではまず、今回のメモノートにおいて、**「タイトルをつけて順序立てていく」ためのルール**をお話ししたいと思います。

ノートには、ルールが必要

ノートを取るとき、ルールをしっかり設けておくと、そのあとのノート作りが楽になります。たとえば、みなさんも「重要な単語は赤字で書く」などとやりませんでしたか？　あんな感じで、まずはノートをどう取るのか、そのルールを明確にしておく必要があります。この章では、メモノートにおいてどんなルールが必要なのかについてお話ししていこうと思います。

大きいものから小さいものへ

ただ、みなさんに淡々とこのルールをお話ししてもつまらないので、ちょっと小話から入りましょうか。みなさんは、こんな話を知っていますか?

ある大学教授が、授業でバケツを用意した。

「このバケツの中に、どれくらいのものが詰められるのか、考えてみましょう」

そう言うと、まず教授はバケツの中に大きな石を入れた。次に少し小さめの石を入れて、そして最後に小さな粒の砂を入れた。

「これでバケツは満杯になりました。さて、順番を逆にしてみましょう」

そう言うと、教授は今度は小さな粒の砂からバケツに入れた。そのあとに少し小さめの石を入れたが、今度は大きな石は入れることができなかった。

「先ほどと、バケツに入れている分量は変わりません。なのに、小さいものから入れていったときに、大きな石は入れることができなくなってしまいました」

そして、こう締め括った。

「みなさん、みなさんの人生も、これと同じです。些事に心を砕いていると、本当に大事なものを見失ってしまいます。まずは大きなものから、みなさんが重要だと思うものから、始めていく必要があるのです」


納得感のある話ですよね。僕はこの話、結構好きです。

まあそれは置いておいて、この話をしたのにはわけがあります。「大きいものから始めていき、あとから小さいものを詰めていく」のは、ノート作りにも共通する要素があるからです。

ノートも、大きいものを先にする

たとえば先ほどの『注文をした商品が届くまでの時間が遅い』という話に対して、みんなで会議をしてこんなトークをしたとします。

- **特にポテトなどの揚げ物を調理するときは、どうしても時間がかかってしまう**
- **注文を受けたときに、厨房に対して口頭で確認している、ダブルチェックをしてミスがないようにしているので時間がかかっているかもしれない**
- **店長としては調理時間が長いと感じる**
- **注文をした商品が届くまで、普通の店では10分程度のところ20分程度かかってしまっている**
- **サラダなどはあらかじめ調理をしておけるから早くできる可能性がある**

さて、このトークログをどのようにみなさんは整理しますか？

このとき、大事なのは、「**大きいものから小さいものへ**」です。

「情報に大きいとか小さいとかってあるの？」と思うかもしれませんが、これは他を内包する情報なのか、それとも個別具体的な話なのか、ということです。

たとえば「調理時間が長い」という情報は、「Aという料理の調理時間と、Bという料理の調理時間と、Cという料理の調理時間、すべてが長くなってしまっている」ということですよね。「調理時間が長い」は、複数に分解できる話なわけです。要するに抽象的なのか具体的なのかですが、これはどこまで分解するかという話です。「揚げ物料理の調理時間が長い」は「調理時間が長い」を分解したひとつの具体例なわけですが、「ポテトの調理時間が長い」「唐揚げの調理時間が長い」とまた分解できます。

「調理時間が長い」
分解・具体化↓「揚げ物料理の調理時間が長い」
「揚げ物料理の調理時間が長い」
分解・具体化↓「ポテトの調理時間が長い」「唐揚げの調理時間が長い」

僕が「大きい情報から順番に」と言っているのは、**「その情報から複数に分解することができるような、抽象的な情報から順番に処理していくべき」**ということなのです。

これを意識すると、先ほどのメモはこんな風になります。

○注文してから商品が届くまでの時間が長い
　注文をした商品が届くまで、普通の店では10分程度のところ20分程度かかってしまっている

●調理時間が長い

◉店長としてはここが問題だと思っている

◉揚げ物類↓時間が長くなってしまう
　・ポテトなど

◉サラダ類↓短くできるかも？
　・あらかじめ調理をしておけるから早くできる可能性がある

●注文から調理に入るまでの時間が長い
◉注文を受けたときに、厨房に対して口頭で確認している
・その際、ダブルチェックをしている
・ミスがないようにするための措置
・もしかしたらここに時間がかかっているかもしれない？

これだとわかりやすいですね。大きな概念であり今回の論題である「注文してから商品が届くまでの時間が長い」を一番先に考え、そこから分解された「調理時間」「注文から調理に入るまでの時間」を次に考えていますね。

オーダールールのコツ

メモノートは、こんなルールに則って書いてみるといいでしょう。

STEP1 概要や、大きな論点を「○」で書く
STEP2 その「○」を分解して情報を整理し、それを「●」で書く
STEP3 「●」の具体例や中身を「◉」で書く
STEP4 それ以上具体的な内容や注釈的内容は「・」で書いていく
※分解の仕方や項目の例などは「B　タイトルサイン」(68P参照)でお話しします。

このメモは○→●→◉、という整理の仕方(ルール)を実施していて、かつそれに合わせて場所を揃えて書いています。

まとめると、こういう話になります。

・**「○→●→◉」のように、レイヤーが同じものを整理できるようにすること**
・**●のところにスペースを空けておくなどして、レイヤーが同じものを書くときにスタートする場所を合わせること**

先ほどのメモノートは、両方が揃った例だったわけですね。片方からでもいいので、ぜひ実践してみてもらえればと思います。

レイヤーを揃える

さて、「○→●→◉」という整理のように、情報のレベル感を合わせることの意味をもう少しお話ししましょう。

こうした**情報の「大きさ」のことを、情報の「レイヤー」といいます。レイヤーとは「層」のことであり、この層を揃えることがとても重要**なのです。

たとえば、「調理時間」「注文から調理に入るまでの時間」は、同列の情報ですよね。これはレイヤーが同じ話だと言えます。でも、「注文して商品が届くまでの時間が長い」のと「調理時間が長い」のは、同列の情報ではありませんよね。これをしっかりと揃えたいわけです。

「大きい情報から順番にレイヤーを揃えていくこと」。

これこそ、メモノートに秩序をもたらす、絶対的なルールなのです。

当たり前のように聞こえるかもしれませんが、メモを取る上でこれほど重要なことはありません。これが混ざっていると、何もうまくいかないのです。

レイヤーがズレると、うまくいかない

みなさんは誰かと議論しているときに、「全然話が噛み合わない！」となった経験はありませんか？

たとえば、「この前のプレゼンがよくなかった」ことに対して、自分と相手で主張が食い違ったとします。

> 自分「もっと準備期間を取るべきだったのに、お前が急な仕事を持ってくるから」
> 相手「もっとデザインにこだわるべきだったのに、お前が適当なデザインで終わらせてしまったから」

この2人が話し合っても、絶対に解決できません。なぜなら、その2人は別々の論点から主張しているからです。

たしかに、準備期間を取るのもデザインにこだわるのも、プレゼンをよくするため

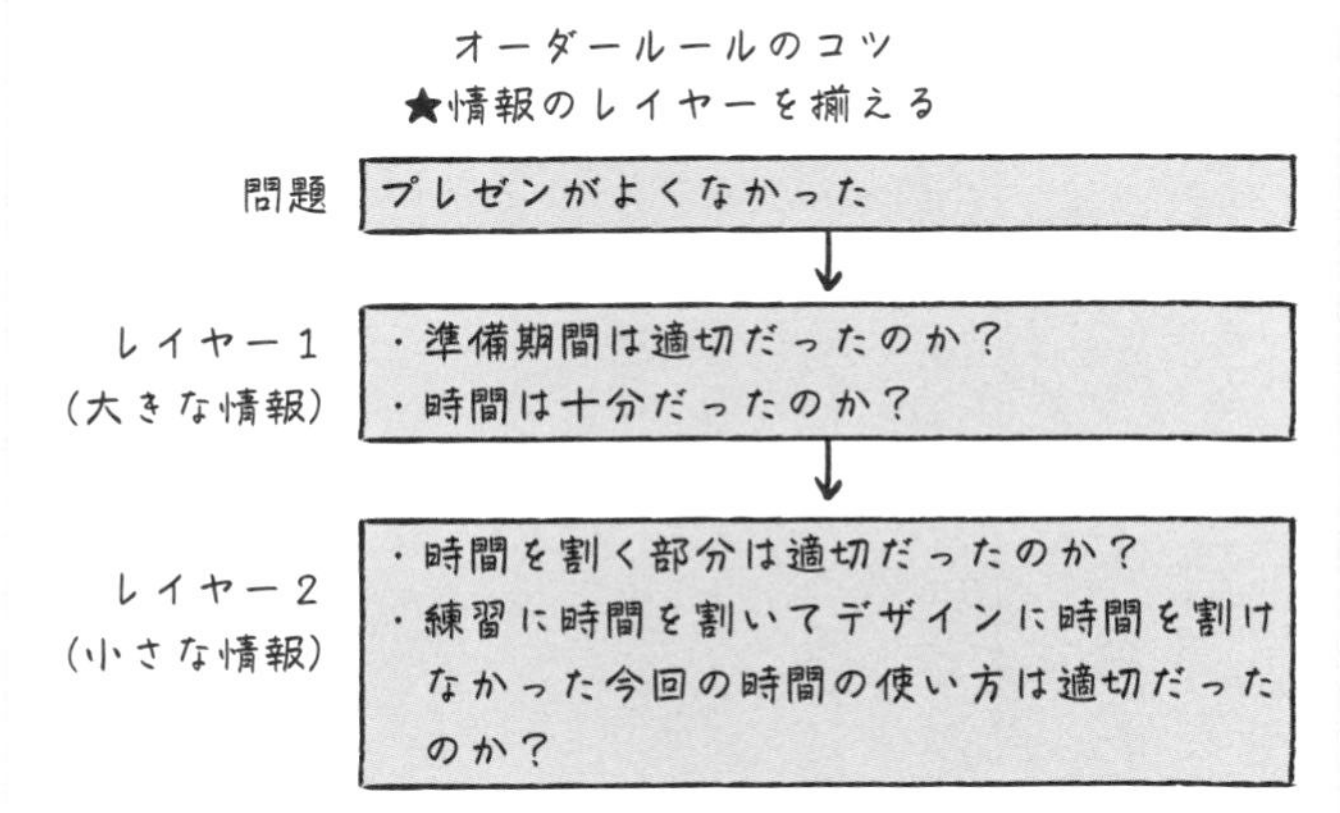

オーダールールのコツ
★情報のレイヤーを揃える

問題	プレゼンがよくなかった
レイヤー1（大きな情報）	・準備期間は適切だったのか？ ・時間は十分だったのか？
レイヤー2（小さな情報）	・時間を割く部分は適切だったのか？ ・練習に時間を割いてデザインに時間を割けなかった今回の時間の使い方は適切だったのか？

の施策でしょう。

しかし、この2つは同列に語ることはできないのです。準備期間を取るべきだったのは「もっと時間を取るべきだった」という論点ですが、デザインにこだわるのは「どこに時間を割くべきだったのか」という論点です。話がまるっきりズレているから、そもそも会話してもうまくいきません。

- **納期は適切だったのか？　時間は十分にあったのか？**

という論点があって、その上で、

- **時間を割く部分は適切だったのか？　練習に時間を割いてデザインに時間を割け**

なかった今回の時間の使い方は適切だったのか？

という話になっていくわけです。論点のレイヤー（レベル感）が違うと、どこまでいっても平行線なのです。

レイヤーを揃えること・情報の大きさ・論点となるポイント、そうしたものをメモノートの中で整理できるように作っていきましょう。

B≫タイトルサイン
──情報をレイヤー分けするための「型」

次に、「ルール」に則って、実際にノートの作り方をお伝えしようと思います。

「○→●→◉」のルールでノートを作っていくときに、多くの人たちは困ってしまうことでしょう。「これ、どうやって分解すればいいんだろう?」と。

ここからは、この分解の仕方について、みなさんにお話ししていこうと思います。

抽象から具体へ

とりあえず、簡単なものから分解をしてみましょう。たとえば、2つに分けるだけだったら割と簡単です。

「世界恐慌が発生したことで、アメリカはドルブロックと呼ばれるブロック経済を構築し、フランスはフランブロックを、イギリスはスターリングブロックを構築した」

という情報があったら、

○世界恐慌が発生して、世界各地でブロック経済ができた
●アメリカ→ドルブロック
●フランス→フランブロック
●イギリス→スターリングブロック

とすればいいですね。

抽象的なものを大きめの情報として「○」に、具体的な各地の情報は細かい情報として「●」に書いています。このあとは、各「●」の情報の詳細などを、今度は「◉」でまとめていけばいいと思います。

さて、この際に、ちょっと情報を削ったり、情報を加筆したりする必要もありま

す。たとえば今回、○には「世界恐慌が発生して、世界各地でブロック経済ができた」という情報を付け加えています。これは、❶の中身を抽象的に言ったものですね。このように、多少付け加えたり、削ったりしていく過程も、「自分の頭を整理する行為」だと言えるでしょう。ここらへんは、「C　ブランチカット」（88P参照）でお話しします。

型で分解する

ただ、分解が難しい情報も登場します。

> 東京は日本で一番ブルーベリー農家が多い地域だが、これは「観光農園」という形でブルーベリーの収穫体験を実施しているからだ。カップルや家族連れで収穫体験ができる。こういう観光体験は、お客さんを集めやすい地域が一番で、その意味で人口の多い東京近辺だとお客さんが集まりやすく、観光地として適して

いる。

もうひとつは、東京にはケーキ屋さんや喫茶店が多いからだ。人口に加えて富裕層も多い東京では、高級なケーキ・お菓子などのお店が多く、これらのお店では、ブルーベリーを使ったケーキやパフェ、フルーツの盛り合わせなどを提供している

何を分解すればいいかわかりづらい、こういう情報をメモにするためにはどうすればいいのでしょうか？

メモノートには、いくつかの型があります。情報整理するときの、フォーマットのようなものだと思ってください。

みなさんも、「自己紹介してください！」といきなり言われても、難しいですよね。何の情報を提示すればいいかわからないと思います。

それは、「自分の情報」という大きすぎる情報を、どう整理していいかわからなくなってしまうからです。「自分の情報」は、生まれてからの人生の中で、膨大な量の

データがありますよね。でも、自己紹介でそのすべてを、「1994年○月▲日に○○病院で生まれてそのときの体重は～」なんてつらつらと語ってほしいわけではないですよね。だから、「自己紹介してください！」は難しいのです。

でも、「お名前と、所属と出身地と趣味と、あとこれからの意気込みを一言お願いします！」と指定があると、やりやすいですよね。

「鈴木一郎、3係所属、東京都世田谷区出身で、趣味はボードゲームです。これから精一杯頑張るのでよろしくお願いします！」

と、パッと言えると思います。

この、自己紹介のフォーマット、つまり「何を言えばいいのか」の型があれば、「自分の情報」を「自己紹介」として分解しやすくなるわけです。

これと同じことを、メモノートでもやりましょう。分解の型を覚えれば、物事は整理しやすくなるはずです。

原因と結果で分ける

たとえば、原因と結果で分けるやり方があります。

○Q　なぜ日本一ブルーベリー農家が多いのは東京都なのか？

●A1　観光農園が多いから

◎ブルーベリーの収穫体験を観光として提供

◎人口の多い東京近辺だとお客さんが集まりやすい

・家族連れやカップルなど

●A2　高級な製菓店が多いから

◎人口の多い東京近辺には高級な製菓店が多い

・ケーキ屋、カフェ、喫茶店など

◎高級な製菓店ではケーキなどにブルーベリーを使用することが多い

「問い」を大きなテーマとして配置して「○」として書きます。そして、**その「大雑把な答え」を「●」で書き、その詳細を「◉」で書いていく**のです。これにより、問いを起点にして、非常にわかりやすく整理することができるわけですね。

因果関係という言葉がありますが、すべてのものには理由があります。結果があれば、その原因になっている事象が何かあるはずです。**結果という大きな情報に対して、その理由を具体的に整理していく**、という方法ですね。

やっぱりレイヤーは揃える

注意しなければならないのは、その情報のレイヤーを合わせるということです。

たとえば、「人口が多いから」と「高級な製菓店が多いから」は同じレイヤーで語れるでしょうか？　違いますよね。だって、高級な製菓店が多いのは、人口が多いからだと考えられます。ということは、同じところにこの2つはないのです。言うなれば、「好きな食べ物は何？」と聞かれて「リンゴ」と「フルーツ」と答えているようなものです。リンゴはフルーツに含まれるのだから、この2つを同列で語ってはいけないということですね。

少し脱線しましたが、ここからはいくつか、メモノートのフォーマットを見ていきましょう。分解の型を覚えて、「○」や「●」にタイトルを書くようにしましょう。

①「原因と結果」のタイトルサイン

先ほどお話しした通り、「質問・結論」と「理由・原因」で考えていくやり方ですね。

何かひとつの結論をまとめるときや、ひとつの質問の答えを出していくときに、**「Q」と「A」を見出しのタイトルにしてまとめていくやり方**になります。

多少無理やり質問の形にしてもよく、たとえば「もっと頭がよくなりたい人はこうしましょう」という文を「なぜ今のやり方は頭がなかなかよくならないのか?」と言い換えてもいいです。**「問い」↓「答え」というやり方で整理していくことで、わかりやすくなる**ということですね。

「実は『不甲斐ない』の『不』は当て字であり、本来は『腑』の方が正しいです。『腑甲斐ない』とは、『腑もなければ、甲斐もない』という意味なのです。腑とは、腑抜けという言葉でよく使われる臓腑のことですね。甲斐がないというのは甲斐性なしのことなので、『腑もなければ、甲斐もない』は『情けなくて情けない』という意味になり、『腑甲斐ない』は『本当に情けないやつ』という意味になるのです。たしかに、そうじゃないと不甲斐ないは『不』と『ない』の二重否定になってしまいますからね。肯定的な意味じゃないと不自然です」

さて、この場合は何を「問い」にすればいいでしょうか？　僕だったらこうします。

〇Q　なぜ、不甲斐ないは「不」と「ない」の二重否定なのに、肯定的な意味ではなく、否定的な意味になるのか？

●A　不甲斐ないの「不」は当て字で、「腑抜け」の「腑」が本来の漢字で「腑甲斐ない」だから

◎「腑抜け」＝「情けないこと」、「甲斐性なし」＝「情けないこと」なので、情けないことの二重表現

このように、無理やりにでも問いを作れば、物事は見えやすくなるわけですね。

ただ、１つ目から例外を言ってしまって大変申し訳ないのですが、このフォーマットは、反対から書いても大丈夫な場合があります。こちらに関しては③「背景と具体例」のタイトルサイン（80Ｐ参照）を見てもらえればと思います！

②「事実と意見」のタイトルサイン

次は「事実」と「意見」です。これは、何らかの問題に対する解決をしたいときに使うやり方です。議事録をまとめるときなどが該当するでしょう。このとき、**「事実」から「意見」へと流れていくようなメモの取り方**をしましょう。

事実は、誰の目から見ても明らかなデータのことです。それ自体には何の色もなく、ただの数字でしかないもののことを指します。これは客観的なもので、主観的なものではありません。

対して意見は、その事実から一歩進んで、問題と直接的に結びつき、「それを解決すれば問題が解決する!」というものです。こっちは主観的なもので、客観的ではありません。

当たり前だと思うかもしれませんが、これを混同してしまっている人は多いです。何かひとつの事実を見て、それに勝手な解釈を加えた自分の意見を、さも「明らかにそういうデータがある」というように語ってしまう人が多いのです。

「2ちゃんねる」の創設者の西村ひろゆき氏は、「それってあなたの感想ですよね」というセリフをある番組でコメントし、この言葉が若者の間で流行しました。この言葉通り、「感想」であるにもかかわらず「事実」と混同して話をしてしまう人が多いです。「注文までの時間が長いというお客様の声が届いた」は事実でも、「料理を作るのに時間がかかりすぎている」はただの感想である、ということですね。

さて、「意見・感想」にもいろいろなものがあります。考えられる原因もあれば、打ち手として有効な手段もあるでしょう。**事実に立脚して、原因や打ち手を考えていくのが「事実と意見」のフォーマット**になります。

○事実：業績が落ちてきている
●打ち手：売り上げを増やす施策が必要
◉ポイントカードを作る
◉ポイントプレゼントキャンペーン

・ご家族に登録してもらうことで100ポイントプレゼントキャンペーンを行う

「○」が事実で、「●」以降は意見になります。意見でしかないわけですが、**事実と意見を切り分けたことで、いろいろなアイデアを作ったり整理したりすることができるようになっている**わけですね。

③「背景と具体例」のタイトルサイン

次は「背景」と「具体例」です。これに関しては実際に具体例を見てもらった方が早いと思うので、こちらをご覧ください。

「1853年にアメリカのペリーは日本に来航したわけですが、この2年前にはイギリスで第一回万国博覧会が開かれていました。一見なんの関わりもないイベントですが、実はこれって繋がりがあります。万国博覧会は、『こんなに工業化したんだよ！』という国力の発表の場だったわけなので、この19世紀の半ばの時期は、イギリスもアメリカも、どの国も工業化してその工業製品を買ってもらいたいと思っていたんだと考えられます」

さて、これをメモに直してみましょう。この背景があったから、こういう具体例がある、ということをわかりやすく整理してみましょう。

○背景：19世紀半ば　欧米列強は工業化して、工業製品の新たな貿易相手国を探しており、その影響でさまざまなイベントが発生した。

●具体例：第一回万国博覧会

◎工業化したイギリスが自分たちの国の工業力を示すイベント

●具体例：ペリーの来航

◎工業化したアメリカが日本を開国させるべく来航したイベント

このように、**ひとつの背景から、複数の具体例を説明していく整理の仕方**をしているわけですね。

さて、実はこのフォーマットは、最初の「質問・結論」→「理由・原因」の逆の流れだと考えることができます。

「なぜAなのか？」「BやCの影響である」と整理していくのが「質問・結論」→「理由・原因」だったわけですが、これの順番を変えて、「理由・原因」→「質問・結論」という形にしたものが、「背景」→「具体例」なのです。

○背景：東京に人口が集中していることによってさまざまなことが発生する
●具体例1：観光農園が多くなる
●具体例2：高級な製菓店が多くなる
◎これらにより、ブルーベリーなどのフルーツの農家が多くなるという感じですね。「背景」から「その背景の中でどうなったのか」を整理する流れになります。

順番が大事、と先ほどあれほど言っておいて恐縮なのですが、どちらでも成立するわけですね。

ひとつの理由・原因によって複数の結論が導き出せる場合はこちらの「背景」→「具体例」を使い、逆にひとつの結論を出すときに複数の理由・原因が考えられる場合は「Q（質問・結論）」→「A（理由・原因）」を使ってみましょう。

④「大枠の概要と各論」のタイトルサイン

最後は、一番オーソドックスな方法・大枠の概要から各論に流れていく方法です。今までのタイトルサインで整理できないときには、この型を使ってみましょう。

先ほどお話しした通り、大きな情報から細かい情報へ流れていくのは、一番整理しやすいです。大枠の部分から、各論の情報へ。マクロからミクロへ流れていく、この流れこそが王道です。小説や映画のような作品であればストーリーの大枠から細かいシーンへと流れていくように整理し、何らかの説明文であればその文章の要約から、細かい、覚えておくべき情報へと流れていくような整理が必要なのです。

ただ、難しいのは、意外と細かい情報の方が印象に残りやすいことです。

たとえば映画やドラマなどでも、ただ感動的なワンシーンを切り抜いた動画を観ただけでは、あまり感動は伝わりませんよね。そもそものストーリーや、その2人の関係性や、そのシーンに至るまでの過程があって初めて、「うわ、感動的だなあ」と思えるわけですね。この場合、ストーリー部分が大枠で、ワンシーンが各論です。

しかし、あとから覚えているのはこのワンシーンの方だったりするんですよね。みなさんも、自分の好きな映画やドラマのことを思い出すと、頭に浮かぶのはちょっとしたワンシーンではないですか？　ストーリーとか、その2人がどんな人物だったのかなんて忘れて、感動的だったシーンや素晴らしいアクションシーンが心に残っていたりします。なぜなら、我々はストーリーの説明で感動することはなく、具体的な各シーンの方でこそ感動するからです。

この関係性は、一本の木に似ています。ストーリーや全体の流れは、木の根や、木の幹のようなもの。各シーンは枝葉であり、そして感動的なワンシーンはその木になった果実のようなものです。果物は甘くておいしいですが、それが成立する前提となっているのは、木の根幹の部分です。この順番を間違えてはいけないのです。

さて、ここまでの文章を整理してみましょう。

〇概要：大枠の部分から各論の情報へと流れていく方法で整理する
●具体例：ストーリーの大枠から細かいシーンへと流れていくように整理
●具体例：文章の要約から、細かい、覚えておくべき情報へ
◉細かい部分ばかりが記憶に残ってしまうので、必ず大枠↓各論の流れを守ること！

ということで、この4つのフォーマットのうちどれで整理した方がいいかを考えていくわけですね。

ここまでを踏まえて、タイトルサインはこのようにしてみましょう。

STEP1 与えられた情報を確認し、4つのフォーマットのどれで整理するかを考える

STEP2 4つの中で、「〇」のタイトルを次のように整理する

1 「Q」と書き、全体を整理できる質問を横に書いていく
2 「事実」と書き、全体の中で事実の情報のみを切り分けて横に書いていく
3 「背景」と書き、全体の中で背景になっている事柄を横に書いていく
4 「概要」と書き、全体の中で要約的な情報や、大枠・ストーリーなどの事柄を横に書いていく

STEP3 4つの中で、「〇」に書いた事柄から「●」に繋げて整理していく

1 「A」と書き、Qの質問の答えを書いていく

2 「意見」や「打ち手」と書き、その事実に対する解釈やアプローチを書いていく
3 「具体例」と書き、背景の具体例の事象を横に書いていく
4 「具体例」と書き、具体的な情報を横に書いていく
※この切り分け方とは別に重要度が高い情報がある場合は、「〇」に書くこと

もちろん、議事録を取るときなどであれば、「集合時間：19時」のような細かいけれども重大な情報を大きく書く必要がある場合もあります。そのときに、「〇集合時間：19時」とすることも必要でしょう。重要度合いによって、例外的に情報を大きいレイヤーに持ってくることなども必要になります。そこら辺は臨機応変に対応していく必要があり、それが難しいところです。とはいえ、大体先ほどの4パターンで整理できると思いますので、まずはそこから始めてみましょう。

C ≫ ブランチカット
―情報量を「最小限」にする

さて、ここまでで大体メモノートは完成間近、整理はほぼ完了できていると思うのですが、ここから先はもっと情報を上手に整理するためのテクニックをお伝えしようと思います。

それこそが、**ブランチカット**です。ブランチとは、枝という意味です。先ほど情報を木に例えましたが、根幹の部分は置いておくとして、枝葉の情報や具体例は切り離す必要があります。情報量を最小限にできるように、枝葉の情報をカットすることが、ブランチカットになります。

ブランチカットには、2つのパターンがあります。ひとつは文レベルのもので、もうひとつは文章・ノート全体のレベルのものです。まずは文レベルのものから見ていきましょう。

①「文レベル」のブランチカット

たとえばですが、こんな文があったとします。

「昨日18時ごろ、自分の家の近くの西荻窪駅を歩いていたら、駅の改札近くで偶然取引先の深田さんと会って10分ほどお話をした」

たとえばみなさんは、上司にこのことを報告したいと思ったときに、どんな風に伝えますか？

まさか、「昨日、18時頃なんですけど、西荻窪の駅を歩いていたんですね？　自分の家が近いので。そしたら、その西荻窪駅の改札近くなんですけど、偶然、取引先の深田さんと会ったんですよ！　そこで10分ほどお話をしました！」と伝えますか？

まあ、おしゃべり好きの上司だったらいいと思いますが、仕事のときに上司にこんな報告をしたら、「君、もう少し簡潔に話せないのか？」と言われると思います。

では、どんな部分を削ればいいでしょう？ この中で、みなさんはどの情報が必要で、どの情報が必要ないと思いますか？

必要なのは3つの要素

必要ない部分を説明するために、逆に何が必須なのかをお話しします。

まず必要なのは、「主語」と「動詞」です。

「私」は「会った」。この2つの情報は、なくなってしまうと文が成立しません。

意外と忘れがちなのが主語ですね。「昨日深田さんと会ったんですよ（まあ実は自分じゃなくて同僚の山崎が会ったんだけど）」なんてことはないと思いますし、そもそもそんな報告をしたら普通に怒られると思います。ただ、ひとつみなさんに伝えておくべきこととして、先ほどの文では実は、「私」とは一言も言っていません。前後の文脈からわかるといえばわかりますが、だからといって入れなくていいということでもないでしょう。きちんと「私は」と入れておく必要があると言えます。

細かいことはさておき、今の2つ、つまり「主語」と「動詞」さえあればだいたいの物事は伝わります。

そして、**次に大事なのは「目的語」**です。「誰に」とか「何を」というような話ですね。目的語とは、「私は彼女に会った」の彼女、「私はプレゼントを買った」のプレゼントなどを指すものです。

この場合は、どれかわかりますね？

そう、「深田さん」です。

「私、深田さんに会いました！」

最低限、これさえあれば、先ほどの報告は成立しているのです。

ここに、いくつかの情報を追加して、「昨日私、偶然深田さんに会いました！」くらいで、先ほどの文は報告として十分なのです。

主語と動詞と目的語で整理する。

これを覚えておくと、何らかのメモを取るときには使いやすくなると思います。

もちろん何か覚えておく必要がある事柄があるのなら特別それはメモしておくべきですが、枝葉の情報の中で情報を整理していくときには、それは必要ありません。「深田さん明日誕生日なんですって！　お祝いしなきゃですね！」みたいな特別覚えておくべき内容があるかもしれませんが、それ以外の情報、たとえば「西荻窪で会った」とか「自分の家は西荻窪が最寄りだ」とか、そういうのはいらない情報なわけです。

逆に、「私、昨日会ったんですよ！」とだけ言っても「誰に会ったんだ？」と聞かれてしまいますよね。カットと言いつつ、もし主語と動詞と目的語のうちどれかがないのであれば、逆に補う必要があります。メモを取るとき、これを意識してみてください！

> 文レベルのカット：主語・動詞・目的語を意識して、それ以外の情報をカットしたり補ったりする

②「文章・ノート全体レベル」のブランチカット

さて、次は文章・ノート全体レベルのカットですが、これに関しては実はもう、ある程度説明をしてしまっているんですよね。

「世界恐慌が発生したことで、アメリカはドルブロックと呼ばれるブロック経済を構築し、フランスはフランブロックを、イギリスはスターリングブロックを構築した」

○世界恐慌が発生して、世界各地でブロック経済ができた
●アメリカ↓ドルブロック
●フランス↓フランブロック
●イギリス↓スターリングブロック

というのを見てもらったと思いますが、この「世界各地でブロック経済ができた」

を補ったのが、文章レベルでのブランチカットになります。

情報を整理することは、ある一定の法則性［order］に則る必要があるとお話ししましたね。この法則性を維持するために、情報を切ったり、情報を補ったりする必要が出てくる場合があります。

たとえば、「春は桜がきれいで、夏は新緑がきれいで、秋は紅葉がきれいだ」という文があったときに、みなさんは「え、冬はどこに行ったの？」と思いますよね？

このように、文章を並べたときに情報が平等になるように調整する必要があるのです。

そして、この調整は「タイトルサイン」をしてみると必要になる部分が見えてくると思います。

「事実と意見のタイトルサイン」や「原因と結果のタイトルサイン」の場合

さて、「事実」や「Q」のタイトルサインの場合は、逆に整理している過程で、「このほかに情報はないだろうか？」と考えていくことがブランチカットになります。たとえば、先ほどこんなメモノートがありました。

○事実：業績が落ちてきている
●打ち手：売り上げを増やす施策が必要
◎ポイントカードを作る
・ご家族に登録してもらうことで100ポイントプレゼントキャンペーンを行う
ポイントプレゼントキャンペーン

さて、このメモノートを書いているときに、僕はひとつ違和感がありました。「業績が落ちているのは事実だとして、本当に売り上げを増やす施策が必要なのか？」「他に、業績が落ちたときの打ち手はないのか？」と。そう考えると、業績悪化というのは、「お金があまり稼げていない」のと同時に、「経費や人件費などのお金を使いすぎてしまっている」という問題があると考えられますよね。プラスを大きくするだけでなく、マイナスを少なくすることでも、業績悪化は止められます。そう考えると、「どうすれば経費を節約する施策ができるのか」を考えてもいいですよね。
実はこのような工程は、新しいアイデアすら生み出す可能性があるわけです。

○事実：業績が落ちてきている
●打ち手1：売り上げを増やす施策が必要
◎ポイントカードを作る
◎ポイントプレゼントキャンペーン
・ご家族に登録してもらうことで100ポイントプレゼントキャンペーンを行う
●打ち手2：経費を節約する施策が必要
◎イベントの削減
◎交通費申請の厳格化

となります。「Q」の場合も同様で、「A」はひとつだけではなく、複数考えるように、情報を整理していく必要があります。

逆にここで、複数の打ち手や回答を考えた上で、「これは打ち手としてはあまりよくないな」と思うものがあれば、容赦なくカットしてしまってもいいでしょう。統合する可能性もあり、「打ち手3：人件費を削る」と書いていたら、「あ、これって打ち手2の経費を削るのと、本質的には同じだな」と考えて、2つを統合するというのもいいでしょう。このようにして、体裁を整えていくと、情報のレイヤーがマッチして非常にいいメモが作れると思います。

「背景と具体例のタイトルサイン」の場合

では、もし先ほどの文を「背景」のフォーマットで書き換えると、どうなるでしょう？　どこに情報の補充が必要になるでしょう？

○背景：世界恐慌が発生した

●イベント：世界恐慌の影響をブロックするため、世界各地でブロック経済が作られることになった

◎具体例1：アメリカ⇩ドルブロック

◎具体例2：フランス⇩フランブロック

◎具体例3：イギリス⇩スターリングブロック

世界恐慌の影響をブロックするため、を補充しました。「背景」はほぼ「原因」と言い換えてもいいとお話ししたと思いますが、「原因」なのであれば、「なぜそれが起こったのか」が次の情報と繋げるときに見えるようにする必要がありますよね。だからこそ、世界恐慌とブロック経済を繋ぐ情報を補充したのです。

「大枠の概要と各論のタイトルサイン」の場合

先ほどの世界恐慌の例であれば、「世界各地でブロック経済ができた」は、「タイトルサイン」の中でいうと「概要」にあたる部分の情報を補充したことになります。もし先ほどのメモが、原文をそのままコピーアンドペーストするだけなのであれば、「概要」は「世界恐慌が発生した」ことだけになってしまい、それ以降の情報を要約した「概要」にはなりませんね。だから、要約として適切になるように情報を補充したのです。

ということで、**「オーダールール」に則ってメモのレイヤーを揃え、「タイトルサイン」でその情報を整理し、最後に「ブランチカット」でその情報の体裁をきれいにしていく**作業を紹介しました。

メモがきれいだと、あとから見直さなくても、頭の中まできれいになります。「ブランチカット」の過程でも出てきたように、**新しいアイデアを生み出すことにも繋がる**と僕は考えています。みなさんぜひ、やってみてください。

メモノート

情報を「分解・整理」する

★物事が理解できて、新しいアイデアを生み出す

A オーダールール

・情報の「レイヤー」を揃える

B タイトルサイン

・情報をレイヤー分けするための「型」

① 原因と結果

② 事実と意見

③ 背景と具体例

④ 大枠の概要と各論

C ブランチカット

・情報量を「最小限」にする

① 文レベルのカット

② 文章・ノート全体のカット

第3章

インプットノートの作り方

インプットノートを作るには、どうすればいい？

メモノートの次は、**インプットノート**、つまり**物事を記憶して忘れないようにするためのノートの作り方**について、お話ししようと思います。

「整理整頓」をする

まず、インプットノートを作る前に、みなさんには「そもそも記憶とはどのようなものか」についてお話ししたいと思います。

前提として、情報は「とにかく覚えればいい」ものではありません。同質なもので類型化したり、関連付けしたりできていないのであれば、使いこなすことが絶対にできないものです。

たとえば、僕は1章で記憶をタンスに例えました。その話をもう少し掘り下げてお話ししましょう。

みなさんは今、脳というクローゼットを持っています。その中には、自分が明日着ていく予定のシャツも冬にしか使わないようなコートも入っています。ネクタイも、靴下も、パンツも、上着も、全部入っています。

しかし、どこにどの服が入っているかがわかっていなければ、着ていくことはできませんよね？「どこにあるのかな!?」と探していて、それだけでかなりの時間を取られてしまう……なんてことになったら、クローゼットに収納している意味はまったくなくなってしまいます。

そのために、多くの人は「クローゼットの左上には靴下を、右下にはシャツを」といった風に整理し、どこに何が入っているかを記憶して、「欲しい」と思ったときにすぐに取り出せる状態にしておくと思います。

記憶も、これと同じです。クローゼットと同じように、沢山の収納部分が脳には用意されているわけですが、それをどのように活用するか、というのはすべて、そのクローゼットを使う人に任せられているわけです。

パンパンになるまでたくさんの情報をクローゼットにしまっておける人もいるでしょうが、そのクローゼットのどこに何の情報が入っているかがわからなければ、その情報はまるっきり活用できないわけです。

さて、この例でいったときに、「記憶力がいい人」には、2種類存在します。

ひとつは、クローゼットがめちゃくちゃ大きい人です。クローゼットの中に、いろいろな情報をたくさん入れることができる人のこと。「よくそんなこと覚えてるね!?」と言われるようなこともたくさん覚えている人は、このクローゼットが大きい人だと推測できます。

しかし意外なことに、こちらのパターンの人は東大にはあまり多くありません。純粋な記憶力自体でみれば、そこまでいいわけではない人が多いような気さえします。「あ、ごめん、何の話だっけ？　忘れちゃった」「ねえねえ、明日の宿題って何だっけ？」みたいな会話も頻繁にあります。言ったことを忘れないとか、一瞬で覚えられるとか、そういう人は東大生には少ないんです。

しかし現実として、彼らは試験の前になると膨大な量の知識を頭に入れて、試験で点を取ることができる。それはなぜなのでしょうか？

それは、「記憶力がいい人」のもうひとつのパターン、「整理整頓の仕方が優れている」からなのです。

たとえば、服を畳まないでクローゼットに突っ込んでいると、あっという間にクローゼットはいっぱいになってしまいますよね？　しかし、服を畳み、同じ種類のものをきちんと整理して棚にしまっていくようにすれば、本当に多くの服を入れることができます。無駄なスペースなく、たくさんのものを収納できるわけです。

これと同じで、**情報は整理すれば整理するほどたくさん頭の中に入る**ものなのです。

記憶のメカニズム

この「記憶の整理整頓」というのは、人が何かを覚えるときのメカニズムと非常に深くマッチしています。

みなさんは、人間が人の顔を覚えるとき、どのようにして覚えているか知っていますか？

みなさんが、新しくAさんと出会ったとして、Aさんの顔をどのように脳は記憶しているのでしょうか？

実は、脳はAさんの顔を一から記憶しているわけではありません。「Aさんはこんな顔」というのは、覚えていないのです。

ただ、『若い男性の顔』のイメージをあらかじめ持っておいて、そのイメージにAさんの特徴をあてはめていくのです。若い男性のイメージに、メガネを掛けているとか、ちょっと丸顔だとか、そういう個別の特徴を書き加えて、Aさんの顔を暗記しているというわけです。

こうすることで、AさんだけでなくBさんもCさんも覚えやすくなります。一から3人の顔を覚えるのではなく、大元のイメージを理解しておいた上で、AさんとBさんとCさんの顔の特徴を捉えてしまえば、あとは楽に暗記できるようになるというわけです。この記憶のメカニズムで、人間は多くの物事を記憶しています。

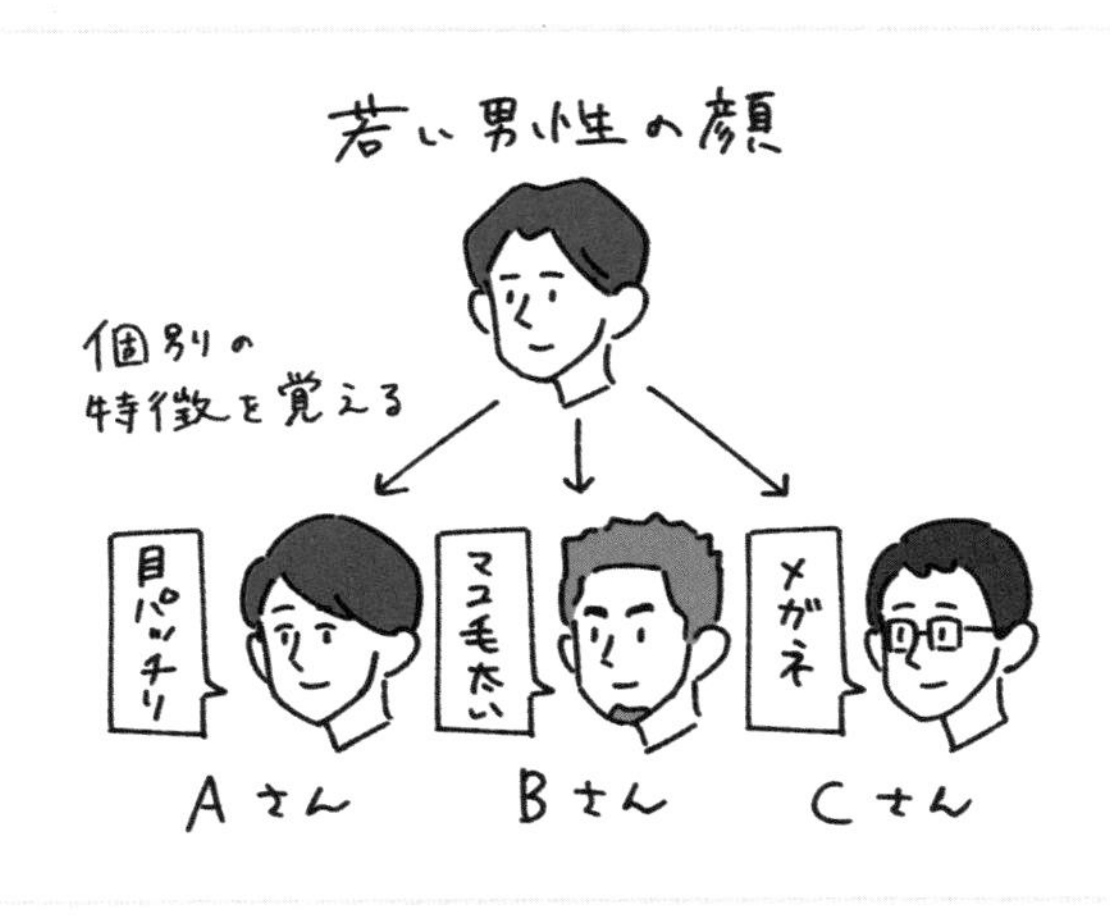

ここからわかるのは、『若い男性の顔』という棚を作って、その中に『それぞれの人の特徴』を入れてしまえば、多くの物事を暗記できるようになるということです。

それはさながら、「この棚には、冬物のコートを入れよう」「この引き出しには、靴下を入れよう」としていくようなものです。

メモノートでは、「整理」をしていました。情報のレイヤーを揃えて、タイトルをつけていけば、理解しやすい、と。

インプットノートでも、重要なのは「整理」です。ただし、インプットノートでは同じ情報を「整理」するだけでなく、その情報を関連付けたり、とっかかりを多くしたりして、「整頓」まで行うわけですが、ここに関してはまたお話ししましょう。

ともかく、**記憶の容量としてのクローゼット自体が小さくても、整理整頓して考えることで、多くの物事を暗記できるようになる**、ということを覚えてください。

1章で、こんなインプットノートをお見せしました。

in/active = 非/活性
in/ability = 無/力
im/moral = 不/道徳
im/possible = 不/可能

in/im 否定の意味

先ほどの人の顔を覚えるときの脳のメカニズムで考えると、この大元になる「in/imがついた言葉は否定の意味になりやすい」という情報を理解するのが、「棚を作る」ことになります。要するに、「in/imがついた否定の言葉」という棚を作ったのです。

そしてその棚の中に、「in/imがついた、否定のニュアンスを持つ言葉たち」を入れていきます。inがついていない部分、たとえば「active＝活性」の部分は、個別に覚える必要があるわけですが、それでもひとつひとつ覚えるよりもはるかに覚えやすく、また、忘れても記憶の中から引っ張り出すことができます。

「靴下はこの棚だったよな」と考えるのと同じように、「in/im」がついているから、否定の言葉だろ？　ってことは、こういう意味なんじゃないか？」と、整理が行われているから使いやすいわけです。

ノートの書き方ひとつで、覚えやすさ、そして思い出しやすさが、段違いになるわけです。

そしてもうひとつ覚えておいてほしいのは、**こういうノートを作ることで、人間は記憶したことを忘れなくなる**ということです。

正直な話、無理やりでも記憶しようと思えば、記憶することは可能です。

「とにかく何度も書いて覚えよう！」とした経験がある人も多いと思うのですが、そういう記憶の仕方をすることは可能です。ノートなんて書かなくても、収納すること自体はできます。

しかし、それは「とりあえずクローゼットの中に入れよう！」としているのと同じです。畳んでもいなければ、どこに入れたかなんて忘れてしまっている状態です。

みなさんも、「なんかやった記憶あるんだけど、忘れちゃった！」ってことありますよね。それは、整理整頓ができていないのです。収納をしっかりしておかないと、どこにその情報があるのか、取り出せなくなってしまうわけですね。

そしてもうひとつ悲しいことに、こうやってクローゼットに畳まずに整理もせずに無作為に何かの情報を突っ込んでしまうと、そこに入っていた情報がひとつ、抜け落ちてしまうことがあるんです。いわゆる、「忘れる」というやつですね。ひとつの情報を脳にただ突っ込むために、違う情報をひとつ、忘れてしまうことになります。これではいつまで経っても、クローゼットの中身は洗練されていかないのです。

「記憶力がない」のは整理整頓ができていないだけ

いいですか、間違っても、「自分には記憶力がない」なんて悲観しないでください。

ぶっちゃけ、天才でもない限り、クローゼットの大きさという意味での記憶力・記憶の容量なんて別に人と差はありません。神様から与えられた脳の容量＝クローゼットの大きさは、別にみんな、同じなんです。

それでも、クローゼットに入る情報の量が大きいのは、整理整頓をしているからなのです。

みなさんが「自分には記憶力がない」と思うのであれば、それはクローゼットが小さいという話ではなく、単純に掃除が下手なだけなのです。

そして、この「掃除をする」行為こそが、インプットのためのノートを作るということなのです。

さて、どうすれば整理整頓が上手くなり、掃除が上手くなるかについて、お話ししたいと思います。

A≫パターンルール
——同類のものでパターン化する

まずはルールです。先ほどのメモノートでは「オーダールール」、順序立てていくということをしましたが、今回は「**パターン**」を考えるというものになります。

そんなに難しい話ではありません。ざっくり言えば、クローゼットの棚に「靴下」とか「Tシャツ」とか、そんな風にラベルを貼っていく行為に近いです。

たとえば、こんな単語群があったとします。

> 類い稀れ・前代未聞・空前・空前絶後・未曾有・不世出・随一・唯一・異才・抜きん出る

これらの意味をすべて覚えなさい、と言われたらみなさんは「えー、時間がかかりそうだなぁ」と思うでしょう。10個の単語がここにはあるわけですが、10個の言葉の意味を暗記するのに、多くの人は30分くらいは時間がかかってしまうことと思います。

でも、実は30分なんてかけなくても、この単語群の意味を覚えるのは一瞬です。簡単にやることができます。

なぜなら、これらの単語の意味はすべて、同じだからです。

「他に例がないほど素晴らしいこと・他に例がないほど大変なこと」
類い稀れ・前代未聞・空前・空前絶後・未曾有・不世出・随一・唯一・異才・抜きん出る

たとえば「類い稀れ」は、「類い」が他の例のことを指し、それがないほど珍しいことから「稀れ」とつけて、「類い稀れ」となります。「前代未聞」は言葉通りに解釈すると「前に聞いたことがない」ということですし、「空前絶後」は「前は空で、後ろにも何もない」ということなので、同じような成り立ちであることがわかると思います。また、「空前」だけでもひとつの言葉として成立します。

他にも、「未曾有」も同じ意味です。「未曾有の大災害」というように使います。「不世出」、という言葉もあり、これは主に「不世出の大天才」というように優れた才能の持ち主に対しての褒め言葉として使うものです。出来事だけでなく、人の評価などに対して使う場合は、「随一」「唯一」となり、「唯一無二」「異才」も同様です。ちょっとやわらかい表現として「抜きん出る」とも言いますね。

つまり、全部同じなんです。『他に例がないほど』と覚えておきさえすればいいのです。

みなさんにおすすめしたいのは、「**暗記物を同類のものでパターン化する**」ことです。たとえば歴史でいえば、複数の出来事があったとしても、それを一括りにできるものを探すのです。

【17世紀の危機】
気候変動や経済不安があった17世紀には、いろいろな戦争・戦乱が発生した

・ヨーロッパ各国を巻き込んだ三十年戦争
・イギリスのピューリタン革命
・フランスのフロンドの乱
・スペインのカタルーニャの反乱
・ロシアのステンカ＝ラージンの反乱

これは、5つの異なる国で発生した出来事が、すべて「17世紀の危機」という同じラベルで括れることを示したノートです。このノートを作れば、「あれ？　フロンドの乱ってフランスだっけ？　スペインだっけ？」と忘れてしまったとしても、「17世紀に発生したんだな」「フロンドの乱とカタルーニャの反乱は同じくらいの時期に発生したんだな」ということは忘れずに済むと思います。

覚えなければならないことは膨大です。歴史を勉強すれば多くの出来事・多くの人物がいますし、英語を勉強すればたくさんある英単語を覚えなければならず、仕事でもいろいろな仕事の行程や人の名前を覚えなければなりません。

でも、すべてをバラバラに覚える必要はないのです。何か括れるものはないか、パターン化できないか、と考えていくわけですね。

では、具体的なパターンにはどのようなものがあるのでしょうか？　ここでは3つ紹介したいと思います。

①「意味」のパターンルール

ひとつは、同じ「意味」で括るというものです。

先ほどの「類い稀れシリーズ」のように、同じ意味の言葉や似たような言葉を集めるのです。

【「たくさん」を意味する古文単語】
・あまた「たくさん」
・そこら「多く」
・ここら「数多く」
・こちたし「煩わしいほど多い・度を越している」

一番わかりやすくて、みなさんにもすぐに真似できる方法だと思います。このやり方のおもしろいところは、同じ意味の単語があったら、あとからいくらでも追記できることです。「あ、この単語も『たくさん』って意味だな。よし、入れよう」とできるわけです。また逆に、『少ない』という意味の単語はどんなのがあるだろう?」と考えるのもひとつのポイントです。この、反対のものや関連性のあるものを探すやり方は、次の「B　コネクトサイン」(131P参照)でお話しします。

②「因果」のパターンルール

次は、「因果関係が同じもの」で括るというものです。
たとえば先ほどの17世紀のノートであれば、このようにすることができます。

【17世紀の危機】
17世紀には、新大陸の銀の産出が減少したことによる経済成長の停滞と、天候不順による凶作が発生し、さまざまな社会不安が発生した。これを17世紀の危機と呼ぶ。

これによって起こった出来事一覧
・ヨーロッパ各国を巻き込んだ三十年戦争
・イギリスのピューリタン革命
・フランスのフロンドの乱

・スペインのカタルーニャの反乱
・ロシアのステンカ＝ラージンの反乱

原因や背景にあるものが同じもの同士で括る、ということですね。メモノートのタイトルサインの際にも、「背景や原因⇅結果や結論」でまとめるフォーマットを２つほどご紹介しましたが、それと同じです。

すべてのものには理由があります。たとえランダムに文字が並んで見える言語でも、語源だったりルールだったり、その単語がその意味になる理由があるものです。

たとえば「uni」は「1」という意味ですが、ここから派生して「unicorn」という言葉は「1つの角［corn］」＝「ユニコーン」という意味になっています。「unit」という言葉は「2つ以上のものが1つになる」という意味で、ここにも「uni」＝「1」の原則が見えますよね。このように、言葉でも出来事でも、「そうなった理由」が必ずあるはずなのです。

そして、ひとつの「原因」から、さまざまな「結果・結論」に繋がっていることがあります。「uni」＝「1」の原則がわかれば、それ以外の「uni」が入っているいろいろな言葉の意味がわかるようになるはずです。「17世紀の危機」という原因から、複数の出来事に繋がっているように、ひとつの原因が複数の結果に繋がることってかなり多いのです。

【uni＝1つ】
Unicorn 一角獣
Union 連合
Unit 2つのものが1つになる
Unify 1つになる

この、「複数の出来事に繋がっているような根本的な原因」のことを、私は「本質」と呼んでいます。

たとえば、「部署の中での連携がうまくいっていない」「部署のメンバー同士であまりコミュニケーションを取る機会がない」「部署のメンバーの中で、AさんとBさんの仲が悪い」という3つの事象があったときに、これら3つは別の問題ではなく、「部署の人間関係がうまくいっていない」というひとつの原因によって発生していることですよね。このような、ひとつの原因で複数の問題が発生している状態のことを、「問題の本質」、なんて呼ぶことがあると思います。本質とはこのように、複数の物事の原因になっているわけですね。

「本質」を探す

川は、下流に行けば何本もの川に枝分かれしてしまいます。ですが、上流に上っていけば、意外と複数の川が同じ源泉から流れていたことがわかることがあります。本質とは、この「上流」のこと。下流のいろいろな川を覚えるためには、上流を探すことが手っ取り早いわけですね。

通常、「本質」は表には出ません。今、目に見えるものは、下流であることが多いです。

さまざまな情報・さまざまな出来事があっても、それがどうして発生しているのか、考えないと本質には辿り着けないのです。

でも、本質さえ理解してしまえば、覚えるべきことは相当数減っていきますし、本質の原因さえ解決できれば複数の問題を解決することもできるかもしれません。本質さえ押さえておけばこれから発生する問題や出来事を予測することだってできます。

だからこそ、たとえ見えなくても、「本質を探る行為」には意味があるといえます。

「因果」のパターンルールでは、この「本質」を探すようにしてみましょう。

具体的には、「この時代にいろいろな場所で戦乱が発生したのはなぜなんだろう？」「uniという言葉はいろいろなところで出てくるけど、なぜこんな意味があるんだろう？」と、原因を探すのです。このようにして「原因になっているもの」を探していく中で、「これはこっちの原因とも同じなんじゃないか」と見出せるタイミングがあるはずです。ぜひ、探してみましょう！

③「同質」のパターンルール

次は「同質」なものをまとめるやり方です。**物質的・文法的に同じものを集めたり、同じジャンルのものをまとめたり、そういう「質が同じもの」をまとめるのがこの同質のパターンルール**です。

今までのパターンルールのように、同じ意味のものをまとめたり、ひとつの原因から繋がっている内容をまとめることほど威力があるものではありませんが、これも、割と覚えやすくなるものです。

たとえば、文法的に同じものを集めると次のようになります。

【接続詞まとめ】
添加：そして・しかも・同じように
順接：だから・なので
逆接：しかし・けれども

補足：ただし・なお・ちなみに
説明：なぜなら・というのは・だって・それは

または、物質的に同じものを集めるのもいいでしょう。アルカリ性の物質を集めるとか、元素を集めるなどです。

④「同分野」のパターンルール

それ以外にも、ひとつおもしろいまとめ方として、**「同じジャンルのものを集める」**というものもあります。たとえば単語などでも、医療系の分野の単語なのか、法学系の分野の単語なのか、などいろいろな分野・ジャンルがあるものです。それをパターンでまとめるわけですね。

【医療系の英単語まとめ】

症状　symptom
症例　case
風邪　cold
熱　fever

痛み　pain/ache
頭痛　headache
片頭痛　migraine
寒気　chills
めまい　dizziness

ここで考えてもらいたいのは、同じ分野の中で、また同じ要素はないか探すことです。たとえば医療系の単語をまとめましたが、これの中にも、「痛み」「頭痛」「寒気」

など、症状でまとめることもできますよね。このように、ひとつの分野のものでまとめるだけで満足するのではなく、そのまとめた中にもまた、同じ分野のものを見出せるように努力してみましょう。

ちなみに、同分野のものと同質のものは、似たようなものだと思います。同分野の中でまとめて、その中から同質なものをまとめてもいいですし、その逆も可能です。

⑤「類似」のパターンルール

意味でも因果でも括れず、同分野のもの・同質なものも見つからない場合は、仕方がありませんので、無理やりにでも「類似」のものを探していくことをしてみましょう。

とにかく、共通点として考えられるような、「類似のポイント」を探していくようにするのです。

似ている言葉でまとめてみたり、似た要素のあるものをまとめてみたり……とにかく、なんでもいいので「似ているポイント」を探してみましょう。
たとえば、こんな感じです。

【「こころ」シリーズ】
・こころにくし：「奥ゆかしい」「心がひかれる」「上品で美しい」「恐ろしい」「怪しい」「いぶかしい」
・こころあり：「情けがある」「情趣を解する」「分別がある」「裏切る心がある」「下心がある」
・こころう：「理解する」「精通する」「心得がある」「引き受ける」「承知する」
・こころおとり：「予想外に劣っていると感じられること」「幻滅」
・こころぐるし：「かわいそうだ」「気の毒だ」「やりきれない」「心に苦しく思われる」
・こころづきなし：「気に食わない」「好きになれない」「心が引かれない」
・こころもとなく：「じれったい」「不安で落ち着かない」「気がかりだ」

「ほのかだ」「ぼんやりしている」「かすかだ」
・こころゆく：「満足する」「気持ちが良い」「気が晴れる」「心がせいせいする」

「こころ」という言葉が入っている古文単語をまとめてみました。意味が似ていなくても、同質のものでなくても、自分が「整理しやすい」と思う部分を見つけて整理していくようにする、ということです。

正直、どのようなものであっても、一旦まとめてみるといいと思います。「aから始まる単語」でもいいですし、「漢字5文字の偉人」でも、「似た名前の人物」でも、なんでもいいです。**自分の中で、覚えやすくできるような工夫をするために、自分で「パターン」を探してみる**のです。

試験勉強をするとき、このパターンで暗記することは効果を発揮する場合があります。おもしろいことに、こうやって集めた類似の情報が、試験で問われることがあるからです。

「アイバクとアクバル、ゴール朝の人物はどっちが正しいでしょうか?」のように、似た要素があるものを試験では引っかけ問題として聞いてくる場合が多いのです。だからこそ、なんでもいいので自分で類似の要素を探してみましょう。

さて、ということで5つのパターンをご説明しましたね。次はこのパターンを前提にしつつ、より実践的なノートを作っていく方法をお話しします。

B≫コネクトサイン
──関係性を繋ぐ

突然ですが、みなさん、僕が今から挙げる10個の言葉を暗記してください。

ペリー　コーヒー　東京駅　象　雨　チョコレート　見学　時間
カラオケ　バス

……みなさん、覚えられますか？

これ、漫画「ドラゴン桜」でも紹介されていた、有名な暗記テクニックです。

漫画の中では、このように無作為に思える単語の羅列を見て、学生たちは「じゃあ、3番目はなんだった？」「5番目はなんだろう？」と先生に質問されるたびに、「えっと、なんだっけ？」と忘れていってしまいました。このように、そのままで覚えようとしたら、時間と共に、どんどん忘れていってしまうのです。

でもそんな中で、こんな覚え方をしている人は、忘れずに覚えていることができます。

『ペリーさんが、コーヒーを飲みながら東京駅で電車を待っていた。彼は動物園で象を見たかったのだが、生憎の雨でチョコレート工場の見学に行くことにした。時間めいっぱいまで楽しんで、カラオケに寄ってからバスに乗って帰ったのだった』

というストーリーを作っておけば、どうでしょう?

多分、これなら忘れにくくなると思います。そして、「えーと、確か、象を見に行こうと思ったのに雨が降ってたんだよな」みたいな感じで、繋がりを意識しながら忘れないでいることができると思います。

単純に覚える方法と、このようなストーリーを意識する方法。この2つは、実は全然違うポイントが含まれています。それが、ものを覚えるときに忘れにくくなるテクニック、**「関連付け」**です。

さっきなぜ覚えられたのかというと、単純に実は「覚えるものが少なかったから」です。

「え？　だって10個覚えるのは同じだったじゃん？」と思う人もいるかもしれませんが、実は違うんです。前者は「10個」覚えなきゃいけないのに対して、実は後者は「4個」しか覚えなくていいんです。

先ほどのストーリーをよく見てみましょう。

「ペリーさんが、コーヒーを飲みながら東京駅で電車を待っていた」
「動物園で象を見たかったが、雨で行けなかった」
「雨でチョコレート工場の見学に行くことにした」
「時間めいっぱいまで楽しんで、カラオケに寄ってからバスに乗って帰ったのだった」

このように、10個の単語ではなく、10個の単語を含んだ４つの「塊」を覚えているのです。

この**「塊」のことを、「チャンク」**といいます。人間は実は、「単語」を覚えるのではなく、この「チャンク」を覚えていくのです。

先ほどの人間の記憶のメカニズムの話でいうと、「20代男性の顔」がチャンクで、それがあるから個別の顔の情報は最小限で済んでいるわけです。

情報をひとまとまりにして、ストーリーを作ったり、繋がりを考えたり、あるいは他との差を見たりすることで、情報は覚えやすくすることができるのです。

さて、なんだかノートの話から離れてしまったのですが、みなさんに覚えてもらいたいのはこのポイントです。

ノートは、「チャンク」が理解できる形になっていると、すごく覚えやすくなるのです。関連性がわかり、情報が整理されていて、純粋に「覚えるべきことが少なくまとまっているもの」がいいのです。

では、どうすればチャンクができるのでしょうか？　まずは、先ほどの「パターン」が有効です。情報をパターンで分けて、括り、ラベルを貼って整理しておくこと。こうすることで、覚えるべきことが格段に減ります。

そしてもうひとつ、チャンクを作るのに使えるテクニックがあるのです。

それは、**「関連性があるものを繋ぐ」**というものです。「ペリーとコーヒーと東京駅」を、なんらかの形で繋いでいく必要があるのです。

東大生のノートでは、これをいろいろな記号で繋いでいます。「↓」や「=」、「↕」や「Q&A」など、記号で情報を整理しているのです。これこそが、**「コネクトサイン」、関連性を記号で示すというテクニック**です。

それでは、順番に記号を見ていきましょう。

①「↓」時系列と因果関係を示す

まずは「↓」です。おそらく東大生のノートの中で最も登場率の高い、使えば使うほど頭がよくなる記号がこの「↓」です。論理的思考の象徴といっていいでしょう。

「↓」は、時系列と因果関係を示す記号です。

「お昼になってお腹が減った」↓「カレーを食べた」
「雨が降ってきた」↓「傘をさした」
「formという英単語は『形』が原義」
↓「formation［フォーメーション］は外から見た形のこと」
↓「formal［フォーマル］は形式的なもののこと」

このように、「↓」は日本語で普通に表現するなら「だから」とか「そして」とか、そういう接続詞として表現できるようなもののことを指します。

【19世紀後半のイギリスの帝国主義】
1873年イギリス不況　不況を脱却するために、海外に活路を見出し、植民地を欲するようになる

↓1874年 第2次ディズレーリ保守党内閣が成立　保守党であったが、海外に活路を見出す方針だったため
↓1875年 スエズ運河の買収を行う
↓1876年 ヴィクトリア女王がインド帝国皇帝に推戴
↓1877年 ヴィクトリア女王がインド帝国皇帝に正式に就任

このように、「1873年にイギリス不況があったから、1874年にこういう出来事があった」と繋げていく記号として、「↓」を使うわけですね。こうやって「↓」ですべての情報を結べば、5つのイベントではなく、ひとつのチャンクとして覚えやすくなるわけです。

もちろんこの際に、「↓」で結べないのであれば、情報を補うことも必要です。ただ「イギリス不況↓ディズレーリ保守党内閣が成立」となっていても、「不況だからって、なんでこの内閣が成立したんだろう？」とわからなくなってしまいますよ

ね。だから、「↓」で結べるように、情報を加筆しているのです。
そのため、実はこういう書き方でも問題ありませんでした。

1873年 イギリス不況
↓これを脱却するために、海外に活路を見出し、植民地を欲するようになる
↓この考え方が国民の支持を集め、ディズレーリの保守党が人気に
↓1874年 第2次ディズレーリ保守党内閣が成立

という感じですね。「↓」で結べるように情報を追記していくことで、より前後の文脈や時系列がわかりやすくなり、覚えやすくなっていくのです。ノート作りは、このように頭を根本からよくしてくれるわけですね。

②「＝」同等の情報を示す

③「↕」反対の情報や、対立する情報を示す

次は一気に2つのマークを紹介しましょう。同等の情報を示す「＝」と、反対の情報や、対立する情報を示す「↕」です。

たとえば、東大生は英単語の勉強をする際に、「類義語」と「対義語」を覚えていく勉強法を実践しています。類義語とは同じ意味の単語のことで、対義語とは反対の意味の単語のことを指します。

たとえばですが、「好き」という英単語は「like」です。ですが、それ以外にもいろいろな「好き」がありますよね。

「be fond of」「prefer」で「好む」、「favorite」で「お気に入り」、「cherish」で「大事にする」、など。いろいろな「好き」を表す英単語があるんですよね。これが「類

好き：「like」
＝好む：「be fond of」「prefer」
＝お気に入り：「favorite」
＝大事にする：「cherish」

嫌い：「dislike」
＝嫌う：「hate」
＝むかつく：「disgusting」

義語」というものです。

それに対して、反対の意味の「嫌い」という意味の英単語もたくさんあります。「dislike」とか「hate」とか「disgusting」とか。これが「対義語」というものです。

これをノートでまとめると、上図のようになります。

多くの場合、こういうことは英単語帳にきちんと書いてあります。「like」の説明の下に「類義語はこれ」「対義語はこれ」と書いてくれている場合が多いです。ですが、それでも多くの人は覚えないで、「like＝好き」とだけ暗記するのではないでしょうか。

でも実は、類義語や対義語を覚えることは、その単語を覚えやすくしてくれるひとつのとっかかりのポイントなのです。たとえば「prefer」を忘れてしまったとしても、「確か、be fond ofと同じ意味だったよな……ということは、『好む』だな！」とか「dislikeとかの反対の意味だったから、『好き』とか『好む』とか、そういう意味だよな？」とか、そういう風に思い出すことができるわけです。

その際、同じ意味のものだけで満足していてもよくありません。

「＝」で結べる情報を探していくことの有効性は、今までのお話で何度も触れていますが、まったく逆に、反対の意味の情報・対立する考えを覚えることも重要だといえます。

なぜなら、情報は対立する情報があって初めて、その情報を理解することができる場合があるからです。

たとえば、「保守的とは何か？」と聞かれても、パッと答えられないでしょう。「えーと、物事や体制を、今まで通りの形を重視して維持する考え方だよ」と説明しても、なんだか不足しているような気がしてしまいますよね。実際、この説明だと不十分になってしまいます。

しかしそこで、「保守的」と対立する概念としての考え方である「革新的」とは何か？ と考えてみましょう。革新的とは、物事や体制に対して、それまでのものとは違った方向性を提示するものです。保守的な考え方だと、今までの体制の方を重視していて新しいものを認めなかったのが、革新的な考え方だと逆に、新しいものを積極的に取り入れて今の体制などを変えていこう、と考えます。

保守的	↕	革新的
今までの物事・体制を守る	↕	今までの物事・体制を壊す
新しいものを認めないことが多い	↕	新しいものをどんどん推し進める
伝統を重視し、秩序を重視する	↕	伝統を否定し、進化を重視する

というような感じで、こうすれば保守的とは何で、革新的とは何なのかがわかるようになると思います。対立する相手を設けることで、反対の意味を知ることで、逆にその情報自体の理解が深まるということが結構多く存在しているのです。

ですから、「=」だけでなく、「↕」もまた、セットで覚えるようにしましょう!

④「Q」「A」問いかけ・質問とその答えを示す

最後はこれです。これは今まで何度もお話しししているので、もうわかりやすいですね。

「Q:なぜ、17世紀には反乱が多かったのか?」「A:経済的な打撃と気候変動による凶作があったから」のように、原因と結果を示すわけです。

若干面倒臭く感じるかもしれませんが、何かをインプットするときに、「なぜ?」という問いは重要になることが多いです。

たとえばみなさんは、こんな単語の羅列を渡されたら覚えられますか?

・ニンジン
・玉ねぎ
・じゃがいも
・お米
・コーヒーの粉
・トマト

いかがでしょうか？　まあ、頑張れば覚えられなくもないと思うのですが、ずっと覚え続けることは不可能ですね。このメモを家族から渡されて「買ってきて！」と言われたとして、メモをなくしてしまったら1個くらい買いそびれてしまいそうではないですか？

でもこれ、簡単にこの6つを覚えておく方法があります。なんだかわかりますか？

それは、「なんでこの6つを買わなきゃならないのか？」という「原因」です。

要するにこれ、「カレーを作るための材料」ですよね？　ニンジンも玉ねぎもじゃがいもも、お米も、コーヒーの粉とトマトは隠し味で入れると考えれば、全部辻褄が合います。「カレーの材料」だと考えれば、忘れないし、ずっと覚えていられるし、万が一忘れても「ああ、カレーの材料か」「だったらじゃがいも買わなきゃな、忘れてた」なんて具合に思い出すことだってできます。

大切なのは、具材ではありません。カレーです。原因さえわかっていれば、あとからいくらでも思い出すことができるのです。

この、原因を明記するために、「Q」を使うのです。

「Q：どうしてじゃがいもが必要なのか？」「A：カレーを作るから」というように、自分のノートの中のポイントを、「Q」で問うのです。**その情報の裏側・意図がわからないものがあったときに、それについて「Q」で問いを作ってみる**ということですね。そしてその答えを探したり、調べたりして、ノートに書いてみる。こうすることで、「A」の情報がより覚えられるようになるということです。

【イギリスの19世紀後半の動き】

Q　この時代のイギリスの動きとは？

A　1873年のイギリス不況により、海外植民地を求めるようになった！

↓1874年に、海外征服を積極的に行うディズレーリ保守党内閣が成立

↓1875年に、海外征服の足がかりとしてスエズ運河の買収

↓1876年～77年に、ヴィクトリア女王インド帝国皇帝に就任＝イギリスがインドを事実上植民地化

いかがでしょうか？　メモノートの際には、情報を整理することを重視していました。しかし、このインプットノートでは、**情報を整理するだけではなく、その情報を覚えやすくなるように、新しい情報を探してきたりして、覚えやすくなるような工夫をしています。**クローゼットの中を整理するだけでなく、服を畳んで入りやすくして整頓までしているわけですね。この、整理整頓の過程も含めて、人間は情報を覚えられるようになっていくのです。

C≫エイムカット
——ゴールを明確にし、それ以外を切り捨てる

最後は、エイムカットです。**ゴールすることを明確にして、それ以外のことを切り捨てることを指します。**

たとえば、みなさんは英語を覚えるときに、名詞とか動詞とか副詞とか、そういう品詞を気にして覚えていますか？

おそらくですが、あまり気にしていないと思います。Happyが形容詞なのか名詞なのかあまり定かではなかったとしても、英語の文章を読んだときに「Happyってことは、幸せってことだな」みたいな感じで読み進めていける場合が多いですね。だから、あまり品詞を気にして覚えるということをしていない人も多いと思います。

これは、覚えるべきことをきちんと絞っているという意味で、必要な行程だといえるでしょう。みなさんだって、英単語帳に書いてある文字を全部丸暗記しようなんて

思いませんよね？　例文は忘れたっていいはずですし、品詞だって覚えなくていいのであれば一旦英語とその意味だけを覚えたっていいわけです。

覚えなければならないことを、極力減らす努力をする。これは、何かをインプットしようとするときに、重要なポイントだといっていいでしょう。

とはいえ、難しいのは、品詞でも例文でも、覚えた方がいい場合もあることです。たとえば先生から「明日の単語テストでは、品詞を選ぶ問題も出るから、気をつけてね」と言われてしまったとか。そういう場合は、覚えなければなりませんよね。そうじゃないと点が取れません。

覚えるべき情報なのか、そうではないのか。それを切り分けるのは、目的の違いです。そもそも英単語を覚えようとしているのが、「明日のテストでいい点を取るため」なのであれば、たしかに「品詞まで覚えよう」とか「意味だけ答えられればいいや」とか、目的が変わってくると思います。

必要なのは、しっかりと目的を明確にすることです。何をどこまで覚えればいいのかを明確にしておけば、覚える必要のない事項をカットすることができるかもしれないのですから。

　このように、**目的＝エイムに合わせて、情報をカットしていく必要があるわけですね。**

　もっと言えば、僕は、**目的に合わせてノートを分けるべき**だと思っています。たとえば、「英語を見て、日本語を答えられるためのノート」と、「英語の品詞を覚えるためのノート」は分けて考えるべきです。

「このノートは、英語を見たら日本語がパッと浮かぶレベルになるようなノートにしよう。品詞まで覚えるべきかどうかは一旦考えず、それが必要になったらそのとき新しいノートを作ればいいや」とでも思っておけばいいのです。

　多くの人は、ノートの情報量を極力多くしようとします。ひとつのノートで完結するものがあるのであれば、それがいいだろう、と。

　ただ、僕はこの発想には反対です。ひとつのノートで情報を完結させる必要はなくて、複数のノートを作り、その複数のノートそれぞれに目的を持たせて、情報を何重にもしていけばいいと思うのです。

みなさん、さっきから読んでいて疑問ではありませんでしたか？

たとえば、「uniform」という英単語があります。これは「uni」＝「1つ」で「form」＝「形」なので、「1つの形」＝「みんなで同じ形になる」ということで、「みんなが着ている同じもの＝制服」という意味になります。

これって、「uni」＝「1つ」という情報からまとめたノートでも、「form」＝「形」という情報をもとに「form」が入った英単語をまとめたノートでも、両方で書くことができますし、まとめることができます。この場合、どっちに入れればいいんだろう？　と。

僕の答えは、これ、絶対に両方に入れてもらいたいです。Aのノートにも Bのノートにも書いているのであれば、それはAとBの両方のノートを繋げる役割にもなります。「uniform」という単語が両方に入っていれば、「uni」の勉強をしているときに「form」の勉強が、「form」の勉強をしているときに「uni」の勉強ができるのです。これこそが関連付けであり、情報のとっかかりになります。

ですから、複数のノートに同じ情報が入っている状態というのは、かえってありがたいのです。同じ情報を2つの目的で切ってみたりすることで、より知識が深くなっていくわけなのです。

【「幸せ」を示す英単語】
Happy　幸せ
=Happiness　幸福
=Glad　嬉しい
=Delighted　とても嬉しい
=Contented　納得のいく、満足している
=Satisfied　満ち足りている

【語尾の「ness」は名詞を表すことが多い】
Kindness ←Kind

Darkness ←Dark
Happiness ←Happy

「幸せ」を示す英単語のノートの方に、HappinessはHappyという形容詞の名詞形である、と書いておいてもよかったとは思います。ですが、そうするのであれば、このように違うノートを使ってまとめてみてもいいわけですね。ひとつのノートに無理やり情報を押し込むよりも、2つのノートに分けてまとめたほうが、脳には残りやすいのです。**「ひとつのノートにまとめるには、目的と合致していないな」と思うものがあれば、容赦なくカット**をしましょう。その上で、その**カットしたものを、今度は新しくノートにできないか考えてみる**わけですね。

「分かるとは分けるである」とこの本ではかなりの回数言ってきましたが、ここでも「分ける」方がいいということです。

さて、もうひとつお話ししておくべきこととして、**暗記する「目的」を間違え**

てはいけない、ということがあります。

たとえばですが、みなさんはど忘れってしてしまう方ですか？

試験中に「あれ⁉ 覚えたはずなのに答えがわからない！」と思い悩むこと、ありませんか。試験後に、「なんだよ、これが正解だったのか！ この単語は知ってたのに、答えられなかった！」と悔しい思いをした経験、みなさんにもあるはずです。

いったいなぜ、こういうことが起こるのかというと、これは「暗記した知識」と「試験で聞かれる知識」が異なっているからです。

もし、あなたが100個の英単語の日本語の意味を完璧に覚えたとします。

しかしテストでは、日本語を言われて、それを英語で書かなければならない問題だったとしたらどうでしょう？ おそらく、100個も英単語があれば、スペルミスや、似た日本語の意味を持つ英単語などに四苦八苦して答えられないことが多くなるはずです。試験でどう聞かれるかがわかっていないと、その対策も間違ったものになってしまうわけですね。

また、その英単語が答えになる問題で解答できるでしょうか？
たとえばこんな問題。

【次の文章の空欄にあてはまる英単語を、次の４つの英単語の中から選びなさい】

英単語の意味を覚えていたとしても、その単語が使われるタイミングや文脈などがわかっていないとこういう問題には答えられません。
また、こんな問題はどうでしょうか？

【この英単語と同じ意味の単語を答えよ】
【この英単語と反対の意味の単語を答えよ】

同義語や対義語は、英単語の意味だけを丸暗記していては答えられません。きちんと「この単語と同じ意味の単語はなんだろう？」「この単語と反対の意味の単語はどんなのかな？」と考える必要があるのです。

もし試験がゴールだった場合、「暗記した知識」だけでは試験で得点できないんです。逆に、ゴールが明確だとやるべきことも質も変わってくることがあります。もし、コミュニケーションを取るために英語を勉強することが目的なのだとしたら、スペルなんて覚えなくてもいいわけです。

このズレを解消するためには、**常に「目的」を意識**するようにしましょう。たとえば試験のために勉強しているなら、「試験でどう問われるか」を考えながら暗記すればいいんです。

「この単語は、どういう問題で答えになるかな？」と常に意識して、「この単語の同義語として問われるかも！」「こういう使い方が聞かれるかも！」と考えながら暗記すればいいんです。

たとえば、「end」という英単語。この英単語を暗記する場合、多くの人は「終わり」という意味だけを覚えます。

しかし、これだけでは試験では点は取れません。先ほど言ったように、「endが答えになる問題」を考えることで、「end」を「試験で答えられる知識」に変えることができるのです。

●「終わり」という意味の英語の名詞は？

●「終わる」という意味の英語の動詞は？

●可算名詞で「目的」を表す、eから始まる英単語は？

このほかにも、end up withで「最後は～で終わる」という意味の熟語も存在するので、

●「　」up with～「最後は～で終わる」：「　」に入る英単語は？

●The concert [　] up with a Bach piece.「コンサートはバッハの作品で幕を閉じた」：[　]に当てはまるのは？

なんて問題も考えられます。

そして、「end」には「端」という意味もあるので、

●「　」of a table「テーブルの両端」：「　」に入る英単語は？

という問題も考えられます。

こういった想定をした上であれば、「じゃあendの『終わり』以外の意味も勉強しておかなきゃ」とか『端』の意味で聞かれてもいいように覚えなきゃ」「endを使った熟語も覚えなきゃ」と考えていくことができるようになります。

大事なのは、目的です。その暗記をするゴールを明確にしておかなければ、結局あまり意味のない暗記をしてしまうことになるわけです。

ということで、インプットノートの作り方はここまでになります。**パターン分けして、いろいろな記号で繋いで、チャンクで覚えるようにする。その上で、複数のノートを作りつつ、ノートの目的を意識することで覚えることを少なくしていく。**こういう姿勢があれば、必ずインプットノートを書いているうちにどんどん覚えられるようになると思います。頑張ってください！

インプットノート

情報を「記憶・暗記」する

★物事を記憶して忘れなくなる

Aパターンルール

・同類のものでパターン化する

① 意味

② 因果

③ 同質

④ 同分野

⑤ 類似

Bコネクトサイン

・関連性を繋ぐ

①「→」時系列と因果関係を示す

②「＝」同等の情報を示す

③「↔」反対の情報や、対立する情報を示す

④「Q」「A」問いかけ・質問とその答えを示す

Cエイムカット

・ゴールを明確にし、それ以外を切り捨てる

第4章

アウトプットノートの作り方

アウトプットノートを作るには、どうすればいい？

4章は**アウトプットノート**の作り方です。

メモを取って整理するメモノート、暗記して記憶するインプットノートときて、次のアウトプットノートは若干、目的が見えづらいかもしれませんね。なんのためにするのか、あまりピンときていない方もいるでしょう。

そこでここからは、「アウトプットがいかに大切なのか」について、お話ししたいと思います。

アウトプットは、「できる」を作る

まず、僕が大学受験をしていたときの話をさせてください。

僕は偏差値35、最低な成績を連発している人間でした。それも、まったく勉強していないから成績が悪いということではなく、人並みに勉強しているつもりにもかかわらず、全然成績が上がらなかったのです。

今思えば、「机には向かっているけれど、その学びがまったく自分のものになっていない」という最悪な状態だったわけです。

しかしこのような状態でも、何ひとつ頭に入っていなかったのかというと、それもまた違うんですよね。

参考書を読み直したら「ああ！　そうそう！　これだ！」とわかるのです。でも、「自分で説明してみて」と言われると、「えっと……」と全然説明できない状態なのです。

みなさんも一度は経験があるのではないでしょうか？

勉強して、なんとなくは覚えていて理解もできているつもりだけれど、「説明して」とか「やってみて」と言われるとなぜか難しいという状態です。

水泳で例えてみましょう。泳げる人に話を聞けば、「両手で大きく水を掻いて、両足を開いてから後方に蹴り出す、これを繰り返せば『平泳ぎ』ができる」ということは、なんとなく理解できると思います。

しかし、それだけで本当に平泳ぎができるようになるでしょうか？　おそらく、相当難しいと思います。「どう泳げばいいか」を頭で理解するだけでは、実際に泳げるようにはなれません。

「頭では理解しているつもりだけど、実践することができない」状態というのは、何かを実践しようとするすべての人に共通する、一番の悩みだといえるでしょう。

「わかる」ことと「できる」こととの間には、大きな隔たりがあります。

「わかる」からといって、実際に「できる」とは限らないのです。

メモノートとインプットノートでできるのは、「わかる」状態になることです。でも、そこで終わってしまったら、あまり意味がありません。

英単語を覚えたところで、その英単語を適切なタイミングで使えなかったら意味がないですよね。本を読んで勉強したとしても、その内容を表現できなければ勉強した意味がなくなってしまいます。

かつての僕が「勉強しているのに成績が上がらない」という状態だったのは、「わかる」ところまで勉強を止めてしまっていたからだったのです。

そこで必要だったものこそが、アウトプットノートなのです。

アウトプットノートの目的は、情報を「使える状態」にすることです。

情報を、「わかる」から「できる」へと変換する。

インプットした内容を、いつでも使える状態にしておくために、アウトプットノートを作っていくというわけですね。

アウトプット前提にすると「インプットの質」が良くなる

では実際、アウトプットノートとはどのようなものなのでしょうか?

僕が初めてアウトプットノートと出合ったのは、浪人生時代でした。成績が全然上がらない僕は、予備校の先生に聞いてみたのです。

「一体どうすれば、成績が上がりますか?」と。

その先生は東大合格者を何人も指導しているベテランの先生で、東大生の勉強法にとても詳しい人でした。

そして、「東大の中ではある程度当たり前になっているけれど、当時の僕には画期的だったノートの作り方」を教えてくれたのです。

「まず、まっさらな白紙のノートを用意する。そして毎晩、今日学んだことや授業を聞いて理解したことを、そこに書き出してみるんだ。何も見ず、自分の記憶を頼りにして、文字に起こしてみる。勉強したことを自分の言葉で再現してみよう」と。

それから僕はこれを毎晩、習慣的にやってみました。頭の中に入っているはずの情報を、何も書かれていないノートに書き出して整理したのです。

何も書かれていないノートに向かって、参考書も何も見ないで、とにかく書き出していくのです。これ、実際にやってもらったらわかるのですが、想像よりもはるかに大変です。

初めのうちは、ほとんど何も書けませんでした。勉強したことの1割も再現できず、「自分はこんなに頭に入ってなかったのか」と愕然(がくぜん)としました。僕は毎晩、いやでも自分の頭の悪さを自覚することとなりました。

しかし、めげずに毎晩書き出していくうちに、だんだん再現度が高くなっていったのです。2割が3割になり、3割が4割になり……。気がつくと、勉強した内容を8割くらい再現できるようになっていました。

これは別に、僕の記憶力が上がったからではありません。

「思い出して白い紙に書き出す」のが勉強の前提になると、「あとで再現できるように、ちゃんと自分の頭で理解しなきゃ！」という意識を持って情報と向き合うことになります。そうすると、頭への入り方が全然違うのです。**「アウトプットすることを前提に」情報をインプットしたことで、インプットの質がよくなった**というわけです。

1章でもお話ししましたが、僕たちはつい「きれいなノートを作ること」自体を目的としてしまいがちです。でも東大生たちはそうではなく、「ノートを作る過程」を意識して効率よく勉強しているのです。**出来上がったノートそのものよりも、ノートを作ろうとして試行錯誤するその「過程」にこそ、意味がある**のです。

アウトプットノートを活用することで、アウトプットを前提としたインプットができるようになれば、自然とあとから情報を活用できるようになるというわけですね。

僕は毎晩アウトプットを続け、それはやがて勉強の成果として明確に表れるようになりました。アウトプットを始めるまでは、何を覚えても穴のあいたバケツに水を入れていくように何も溜まっていかなかったのですが、アウトプットすることでその穴が少しずつ塞がっていくような感覚になりました。ノートに書き出せるものが多くなるにつれて、水がどんどん溜まっていくかのように、覚えられる分量が増えていったのです。

偏差値35だった僕が東大に合格できた理由をいろいろなところで聞かれますが、おそらく一番効果があったのがこのアウトプットノート勉強法だったと思います。僕もいろいろな勉強法を試しましたが、自信を持ってそう言えるほどにアウトプットノートの効果は絶大でした。

アウトプットノートは「実践」してこそ

アウトプットノートの威力、わかってもらえましたか？

ここからは、実際にアウトプットノートをどのように作っていくかについてお話ししたいと思います。

ですがその前に、一言だけ！

アウトプットノートは「**実践することに意味がある**」ことを、忘れないでほしいです。

メモノートとインプットノートは、きれいに整理できたら嬉しいノートでした。

しかし、アウトプットノートに関しては、きれいなものが出来上がらなくていいのです。作る過程に意味があるので、出来上がったものがどれくらいきれいかなんて関係ありません。

もちろん結果としてきれいなノートが出来上がるのは、悪いことではありませんが、それが目的ではないということは知っておいてください。

100点満点のノートなんて作ろうとせず、きれいでなくてもいいから、とりあえず作ってみること。物事はそこから始まります。

A≫サマリールール
――言い換える

では、ここからは具体的に、どんな風にアウトプットノートを作っていくのかお話ししようと思います。

まずはメモノートのオーダールールやインプットノートのパターンルールと同じように、アウトプットノートの作成に必要な「ルール」についてお話ししましょう。

そのルールとは、「**常に『言い換え』を心掛けて、コピーアンドペーストは禁止**」というものです。

一般的にノートに書く作業は、先生が言ったことや黒板に書いてあるものをそのまま書き写す場合が多いと思います。でも、このアウトプットノートにおいて、それは『禁止』とします。聞いたり読んだりした言葉をそのままコピーアンドペーストで書き写すのはＮＧです。

「ええ、なんでそんな面倒なことをしなければならないの？」

と思うかもしれませんが、これには深い理由があるのです。

この本では一貫して、**「ノートを書く」ことは、自分の頭を経由させて情報を書き起こす行為である**、とお話ししてきました。

情報は、そのままだとただの文字列です。そしてその情報をただ書き写すということは、まったく自分の頭を経由しない、意味のない行為になってしまうのです。コピーアンドペーストでは、情報は使えるようになりません。

「丸暗記」は避ける

ちょっと脱線しますが、自分の恥ずかしい話をひとつご紹介させてください。

夏の大三角形って、デネブとアルタイルとベガですよね。これを題材にした曲に、「あれがデネブ、アルタイル、ベガ、君は指さす夏の大三角」（出典：『君の知らない物語』supercell）という歌詞があります。

僕はなぜかその歌詞を聞いて「夏の大三角」を「アレガ・デネブ・アルタイル・ベガ」だと覚えていたんですよね。いや、本当にバカだなあと自分でも思うんですけれど、「デネブ、アルタイル、ベガという3つの星がある」と覚えておらず、ただ「夏の大三角」＝「アレガ・デネブ・アルタイル・ベガ」と覚えていたわけです。

だから「夏の大三角を答えなさい」という問題に、覚えていた歌詞をコピーアンドペーストして、「アレガ・デネブ・アルタイル・ベガ！」と答えていました。それで先生からすごく怒られて……。

僕の話は笑い話だとしても、意外とこの「丸暗記の失敗」はよくある話です。情報をただの文字列としてそのまま認識し、ただ丸暗記してしまってはよくないということですね。情報は、自分なりに噛み砕いて理解しなければ意味がないのです。**アウトプットノートでは、「情報を噛み砕いて理解する」必要がある**のです。そうでないと、ただノートに写しただけで、使える知識にならないという悲しい事態が発生してしまうわけです。

たとえば英語でいうと、mustという助動詞の訳語を最初は「しなければならない」と覚えますね。これをそのまま丸暗記してしまうと、mustを見るたびに「しなければならない！」と訳してしまうようになります。

では、“You must be hungry.”と言われたら、どんな風に訳しますか？

あなたが思うよりずっと多くの中高生が、ストレートに「あなたはお腹が空かなければならない」なんて訳してしまうのです。

でも、これは間違いです。mustの「しなければならない」は、「そうであるのが当然だ」というニュアンスですから、この例文の和訳は「あなたはお腹が空いているに違いない」となるのが自然です。丸暗記していると、「しなければならない」に縛られてしまうのです。

さらに、この話を聞いて、「mustには『〜に違いない』という訳もあるんだ！　これも覚えなければ！」と考えるのもよくありません。mustについて覚えなければならないことが増えただけで、本質的には同じことの繰り返しですからね。

逆に、根本的な意味さえ捉えていれば、訳語をいちいち覚える必要はありません。

×must＝「しなければならない」
○must＝そうであるのが当然である、ということを表す。
そこから派生して、「～しなければならない」、「～に違いない」と訳す。

よく「東大生は頭がいいよね」と言われますが、それは覚えている情報の量が多いというよりも、応用しやすい形で情報を覚えているからだといえるでしょう。

単に丸暗記しているのではないから、mustを「～に違いない」という訳語で覚えていなかったとしても、“You must be hungry.”を和訳できるということですね。

さて、丸暗記ではいけないということは納得してもらえたと思います。では、どうやって丸暗記ではない形で覚えるのか。何を隠そうこの**「丸暗記」を避ける手段こそが、「サマリールール」**、つまり**「言い換える」という行為**なのです。先ほどのmustの例であれば、「しなければならない」というのは、別の表現ではどんな風に言い換えられるだろうか？　と考えるのです。

「しなければならない、ってことは、そうするのが当然で、そうすることが義務だ、って意味だよな」と頭の中で言い換えてみるのです。それによって、理解が深まっていくわけですね。

そのための方法は３つあるので、みなさんにご紹介させてください。

①本質を要約する

１つ目の方法は、**本質を要約する**ことです。

細かい部分を切り捨てて、「要するにどういうことなのか」を考えるということですね。

たとえばあなたが上司からいろいろなお小言をもらったとします。「最近、お前たるんでるぞ」だの「自分が若い頃はこうじゃなかったぞ」だのと30分ほど言われ続け、それに対してあなたが「すみません」「反省します」と繰り返すことでどうにかその場を切り抜けたとしましょう。

そこに、上司との会話を聞いていなかった同僚がやってきて、「おう、上司はなんだって？」と聞いてきたとします。さて、あなたはどう答えるでしょうか？

「上司から、最近僕がたるんでいるんじゃないかということと、自分が若い頃はこうじゃなかったということを言われたよ」とは答えないですよね。30分間丸々上司の言ったことをそのまま語る人というのはおそらくいないと思います。それこそ、言葉をコピーアンドペーストで吐き出しているだけですよね。

おそらくこの場面では、多くの人が「いやあ、上司は怒っていたよ」と答えると思います。30分間いろいろ言われたけれど、結局のところ一言で言えば「怒られた」ということだと解釈できるでしょう。このように、「要するにどういうことなのか」を言いまとめる行為こそが、「要約」なのです。

みなさん、川をイメージしてみてください。僕らは今、下流にいます。枝分かれしたたくさんの川を見て、「ああ、いっぱい、いろいろな川があるんだ」と思います。

　しかし、頭がいい人は違います。下流ではなく、上流を見るのです。複数の川に枝分かれする前の上流を見て、「ああ、この川が下流まで流れているんだ」と理解しているのです。この上流こそが本質であり、要約なのです。

　たくさんの下流は上流で繋がっているので、上流を知ることは下流を理解することにも繋がります。

「最近、お前たるんでるぞ」とか、「自分が若い頃はこうじゃなかったぞ」と言われた、というのは、下流の情報でしかないのです。それよりも、「上司は怒っていた」ことこそが、上流の情報なのです。

　細かいことではなく、大枠としてどういう話なのか、要するに何なのか、考えていくことで物事への理解度が高くなっていきます。これが本質をとらえる行為です。

　どんなに長い情報でも、とりあえず一度、短くまとめるとどういうことなのかを考えてみましょう。どうせ、人間は長い情報を丸暗記することはできません。頭に入っているものは、短く言いまとめられた要約です。タンスにしまうときに服を畳んで入れるのと同じように、畳んでいない情報は覚えられないのです。
さて、ではそのやり方をご説明します。といっても、とてもシンプルなものです。

STEP1 「一言で言うと何なのか」ということを考えてみる

物事の結論や、「何がどうなったか」という主語と述語で説明してみます。

STEP2 その一言を使いながら100字〜140字程度で学んだことを要約する

STEP1の文を説明する感覚で、100字〜140字程度で要約してみましょう。ちょうど、X（旧Twitter）の一回の投稿くらいの分量がいいと思います。

例：「今日学んだこと」

納期ギリギリになってしまいそうになったら、必ずアラートを入れること。1日前に提出できない場合や当日に提出することになってしまう場合は納期がギリギリと捉えてきちんと連絡すること！

重要なのは、自分の言葉でまとめることです。**「重要な部分だけ抜き出そう」と考えるのではなく、情報を読み取って、自分の言葉で言い換えてみましょう。**何度も言いますが、コピーアンドペーストには意味はありません。しっかりと、自分で考えて言い換えるようにしましょう。

②漢字2文字で表す

2つ目の方法は、「熟語」で表すことです。先程の要約よりももっと短く、漢字2文字程度で表してしまおうということですね。

長い言葉や表現などでも、短い漢字の組み合わせのみで表現できることが多々あります。

たとえば先ほどの「しなければならない」という表現について、短く言い換えろと言われたら、あなたはどんな熟語を思いつきますか？

たとえば「義務」などが浮かぶでしょうか。少し難しい熟語だと、「道理」もあるでしょう。「そうであるのが当然」という意味ですね。

このように、短く、漢字2文字くらいで表現できるのが理想です。

must＝義務・道理

いろいろな物事を漢字2文字で言い換えて表すように意識してみると、頭に残りやすくなります。具体例をいくつか挙げておきますので、みなさんぜひ確認してみてください。

「Aの数が年々増えている」↓「増加」
「Aの数が年々減っている」↓「減少」
「Aが去年に比べてパワーアップしている」↓「強化」
「Aがうまくいかなくなってしまった」↓「崩壊」「破綻」
「Aによって、Bが引き起こされた」↓「A＝原因　B＝結果」
「Aが問題になっている」↓「A＝障害」

「AがBを達成する上での大きな課題になってしまっている」↓「A＝障壁」
「Aの優先順位が高く、早めに終わらせてほしい」↓「A＝緊急」
「AがBを支えている」↓「AがBを支援」

「AとBの仲が良くなっている」↓「AとB 関係性向上」
「AとBの仲が悪くなっている」↓「AとB 関係性悪化」
「AがBを行う上での重要なポイントになる」↓「A＝要所」

「AがBを実施する上での問題になる」↓「A＝弱点」

このように、与えられた情報を漢字2文字で表すようにすると、理解が深まるとともに、単純に覚えることが減ります。20文字くらいが一気に2文字に変換されているので、分量だけで考えても1／10になっているわけですからね。頭のいい人はこのようにして、情報を「畳んで」いるのです。みなさんもぜひ試してください。

③デザイン的に表す

最後は、もっと簡略化する方法をお伝えします。

「↓」や「○」を用いて、言葉として表現せずに、デザインとして表現するのです。

たとえば、「横浜市は人口が増えてきている」という表現があったときに、「横浜市の人口＝増加」と書くのが先程の漢字２文字のテクニックでした。

しかしこれを、「横浜市の人口↗」と別の方法で表してもいいですよね。矢印を使うことで、そのものがどうなったのか示すことができます。

「左派政党の影響力が増大した」なら「左派政党の影響力↗」、「現政権の支持率が低下した」なら「現政権支持率↘」と表現すればいいわけです。

それ以外にも、漢字１文字を「○」で表現するという方法があります。

「留学時に気をつけるべきことは、外国には危険が多いということだ」と書いてあったら、「外国：危険㊀」のように示すのです。熟語で書いたものの片方を取ってきて、それを「○」で表現するというやり方もいいでしょう。「左派政党の影響力が増大した」なら「左派政党の影響力㊀」のように書くのです。

後ろだけでなく、前に書くというのもいいかもしれませんね。「水難事故の影響で、A市に堤防ができた」ということであれば、「㊀水難事故　㊀A市堤防建設」のように、因果を前に持ってくるというのもいいでしょう。「注意すべきことは、必ず１４

0字以内でまとめることだ」という情報であれば、「㊟必ず140字以内でまとめること」と表現するのです。

この3つのテクニックを駆使し、長い情報を自分の言葉で短く書き換えていくことで、覚える分量がどんどん減っていきます。

ちなみにこうしてまとめた内容については、誰かにチェックしてもらうのもおすすめです。最初のうちは「この言い換えで間違いないのか？」と、自分の中で疑問が生じることもあると思います。ですので、他の人に読んでもらい、その言い換えが正しいかどうか確認してもらうとよいでしょう。

自分の言葉で誰かに説明できるレベルになれば、サマリールールはクリアできているといえます。

B≫イラストサイン
――イラストや図で示す

では続いて、イラストを使ってノートを整理する方法についてお話しします。

先ほどは文字で言い換える方法について提案しましたが、それ以外にも図やイラストを使うことで、文字とはまた違った形でアウトプットノートを作ることもできるのです。それが「**イラストサイン**」です。

たとえば、みなさんは次の情報をどのように整理しますか？

> 安西さんは経費の使い方について、会社の財務状況の改善のためにも、もう少し厳しくすべきだと考えている。それに対して山田さんは、経費の使い方についてはもう少し緩くすべきだと主張している。その方が、経費を申請する際に社員

一人一人が「これは本当に費用対効果があるのだろうか」と考えることとなり、社員の成長が見込めると考えているからだ。

このままでは文字数が多く、情報を把握するのに時間がかかってしまいます。ところが、イラストサインを使えば簡単に要約することができます。

安西さん：厳しくすべき
「会社の財務状況の改善のため

⇅

山田さん：緩くすべき
「社員の成長を促すため

わかりやすくなりましたね。

このように、イラストで要約すると簡単に多くの情報を把握できます。

この項目では、どんなイラストを作れば文字の情報を上手に整理できるのか、例として3つのパターンをご紹介します。

①「変化」のイラストサイン

まずは、**変化をイラストで表す**、というものです。

変化は、ノートを取る際にかなりの頻度で登場するものです。「変化」を表す言葉って、結構よくあるんですよね。たとえば「増加」はもともと少なかったものが数を増やすことですね。これも変化です。逆に「減少」も、もともと多かったものが数を減らすことですので、これも変化ですね。

あるいは、「成立」や「達成」も変化です。「もともとうまくいっていなかったものが形になったりうまくいったりすること」ですからね。

「――化」という言葉も大体変化を意味する言葉ですね。砂漠化、ドーナツ化、温暖化……ここら辺も、もともとそうでなかったものが形を変えることですね。

これは、次のように表します。

「㊒A」
↓
「㊔B」

変化前と変化後ということを、「前」と「後」を使って表すわけですね。
たとえば、ドーナツ化と呼ばれる現象を表す際には次のようになります。

「㊞都市の中心部に人口が集中している状態」
↓「㊞都市の中心部の人口が少なくなり、その外縁部に人口が移動した状態」

さて、変化というのはいつでも、変化する前と後、両方の要素が必要です。
それを体感するために、突然ですがここでクイズです。
次の質問に対する回答は、正しいでしょうか？

「Q：この花は、1週間前と比べてどう変化しましたか？」
「A：きれいな実をつけました！」

これは小学生の理科の問題ですが、実はこの回答は、厳密には間違いです。

きちんと問いに答えられていない、残念な回答となってしまいます。

この質問は、花の「変化」について聞いていますが、あなたは「変化」という言葉の意味をしっかりと理解できていますか?


「変化前」と「要因」がないと「変化」の答えにならない

では、解説していきましょう。「変化」や「移行」、そういった言葉は基本的に、「それ以前はそうでなかったものが、新しくそうなった」ときに使われる言葉です。

「身長、伸びましたか?」と聞かれて「170cmになりました」と答えられても、それだけでは何センチ伸びたかわかりませんよね。元が169cmで1cm伸びただけかもしれないし、160cmから10cmも伸びたのかもしれない。

変化を聞かれた際、「変化後」だけを答えても意味がありません。

「変化前」の情報がなければ、どれくらい変化したかはわからないのです。

ですから「AがBになった」というように、変化前と変化後の、2つの要素が必要なのです。「花が実をつけた」だけではなく、その前の状態がどうだったのかまで書かないといけない、ということですね。

「花に元気がなくて、実がなっていない状態だった」
↓「しかし、元気になり、実がなった」
のように、「変化前」がないと「変化」の答えにならないのです。

もっと言えば、そこには「変化した要因」があるはずです。元気がなかったのに突然元気に変わることはありません。

変化を聞かれたら、「Aが（変化要因）によってBになった」というように、変化前・変化要因・変化後の３つが揃って、完璧な回答になるわけです。

「それまで元気がなくて実がなっていなかったが、半年間たっぷりと水と肥料を与えられた結果、元気を取り戻して実がなるようになった」

というのが、「花の変化」の回答として適切なのです。

ex. ㊞工場ごとの必要数に応じた柔軟な発注ができておらず、原材料のコストが高かった

↓㊞各工場の在庫をカウントして数値化し、本社が一元的に管理できるようにした

↓㊞必要数だけ必要な箇所に発注・配送できるようになり、コストカットできた！

変化において重要なのは「前」と「後」、それから「要因」。このことをしっかりと覚えておいてください。

②「二項対立と比較」のイラストサイン

続いては、**「二項対立」**と**「比較」**です。これらも変化と同様に、かなりの頻度

で登場します。

これらの考え方は、2つ以上の対立する概念や、選択肢について記述する際に用います。「お肉かお魚か」「ソース派か醤油派か」「保守か革新か」「きのこ派かたけのこ派か」など、2つ以上のものを並べて、その差異を考えていくときに便利です。

このように、「⇅」を使って、賛成と反対を整理して比較する図を作るということですね。
賛と否は、賛成意見と否定意見を表しています。
さて、なぜこのまとめ方が必要なのか。それは、物事を正しく理解するためには、

２つのものを並べて比べる必要があるからです。

先ほどの話にも共通しますが、「身長１７０cm」が高いのかどうかは、比較しないとわかりません。「日本人の成人男性の平均身長は１７３cmだ」と言われたら、「じゃあ平均よりは若干低いんだね」となりますし、「14歳の平均身長は１６５cmだ」と言われたら、「じゃあ同世代よりは高いんだね」となります。

ひとつの情報があるだけでは、正しくそれを理解したとはいえません。

以前、佐賀県の有田町の学校にお邪魔したとき、その地域の子どもたちに「この地域の特徴や、特産品はありますか？」と聞いてみました。すると、みんな揃って「なにもないです」と答えました。「あれ、ここって全国でも有名な有田焼の生産地じゃないの？　みんなのおうちでも有田焼の食器を使ってないかな？」と聞き直すと、子どもたちはキョトンとした顔をしてこんな風に言ったんです。

「え、食器って有田焼以外にあるんですか？」

僕はあまりに衝撃を受け「マジかよ」と思ったのですが、たしかにその地域からあまり出る機会のない子どもたちにとっては、自分の地域を周りの地域と比較することができないから、「有田焼を家で使っている」のが当たり前になっているんですよね。

この話からわかるのは、何らかの情報について正しく理解しようと思ったら、別の情報と比べてみたり、対立させて考えてみたりする必要があることです。

例

「やる気が出やすい脳と、そうでない脳というのがあります。脳の中には島皮質という場所があり、そこは損得感情を司っています。損得感情が強いと、「なんでこんなことをやらなければならないんだ」という気持ちになりやすく、その気持ちが強ければ強いほど、やる気が出なくなってしまうのです」

ノートにすると

㊚やる気が出る脳
「損得感情で物事を考える㊛

⇅

㊁やる気が出ない脳
「損得感情を司る島皮質の働き㊜

こんなふうに、賛否や甲乙でさまざまなものを比較してみましょう。

③「因果関係」のイラストサイン

最後は、すでに何度も登場している「因果関係」の表し方です。

「㊖昨晩、記録的な大雨が降った」
↓
「㊗地域を流れる川の水位が上がった」

のように、因果を分けて、その間を「↓」で結ぶイメージですね。

これは、以前の章で扱ったメモノート・インプットノートと基本的には同じく、「↓」を使った表現です。「AによってBが発生した」は、「㊀A↓㊜B」と表現するわけですね。

ですが、このアウトプットノートにおいては少しだけ、この因果関係を結ぶ書き方に注意が必要です。なぜなら、自分の言葉で表現するノートだからこそ、本当に「↓(因果関係)」が成立するのかしっかり考えなければならないからです。**「本当にそれは↓で結べる事柄なのか?」を考えていく**ということです。

たとえば、東大の入試問題でこんな問題が出題されました。

「オーストラリアはなぜ、人気の高い留学先なのか、理由を答えなさい」 2021年 東大地理

あなたなら、どんな回答を思い浮かべますか?

よく挙げられるものとして、「オーストラリアは公用語が英語だから」「オーストラリアでは多文化主義を採用しているから」がありますね。

果たしてこれらの回答は、本当に「オーストラリアが人気の留学先である理由」を説明しているのでしょうか？

実はこの回答、適切ではありません。因果関係を繋ぐ要素が抜けてしまっているのですが、あなたは気づきましたか？

先ほどの問題文と回答を1文にまとめてみると、抜けに気付けるかもしれません。

「オーストラリアは、公用語が英語だから、留学で人気」

公用語が英語だと、留学生に人気になる。なぜ？

それは、「英語を使う学生が多く、留学生でも話しやすい」からです。中国だと現地の学生は英語じゃなくて中国語で話すから、中国語をマスターしないと会話するのも難しいけれど、オーストラリアは英語だけ話せればいい。だから、留学生に人気になりやすい、ということですね。

整理すると、

「(因)オーストラリア＝英語が公用語」
↓
「英語が公用語＝英語を使う学生が多く、留学生でも話しやすい」
↓
「(果)英語が公用語のオーストラリア＝留学生に人気」

ということで、傍線部分の一段階が抜けていたわけです。

このように、一段階の説明を飛ばしてしまうだけで、実は答えになっていない、うまく表現できていない説明になってしまっている、ということが多々あるのです。

同じように、「Aくんはなぜモテないのか」という質問に対して、「黒い服を着ているから」というのは答えになっているのでしょうか？

「黒い服を着ていると、なんだか陰気に見えてしまって、印象が悪くなってしまう。だから、Aくんはモテない」。

というように、きちんと理由として成立する「説明」が必要なのです。**重要なの**

は、「↓」を直接結べる関係なのかをしっかり考えること。逆に、きちんと「↓（因果関係の段階）」を飛ばさないようにさえすれば、アウトプットノートの大きな武器になるはずです。

C ≫ テーブルカット
――フォーマットに落とし込む

ここまで説明したイラストサインから発展して、テーブル（フォーマット）を用意してそこに情報を入れ込んでいくように整理する方法があります。これを「**テーブルカット**」と呼んでいます。

「フォーマットに落とし込む」手法については、メモノートでもインプットノートでもお話しさせてもらいましたが、このアウトプットノートに関しては、かなり使い勝手の良いテーブルがいくつかあります。このテーブルに情報を整理できるように、情報を「畳んで」いくわけですね。

さて、言葉で説明しただけでは伝わりにくいと思いますので、ひとつひとつ見ていきましょう。基本的には、先ほどのイラストサインを活かしたテーブルの中に、サマリールールで圧縮した情報を入れ込んでいくイメージです。

①「変化前・変化後・変化要因」テーブル

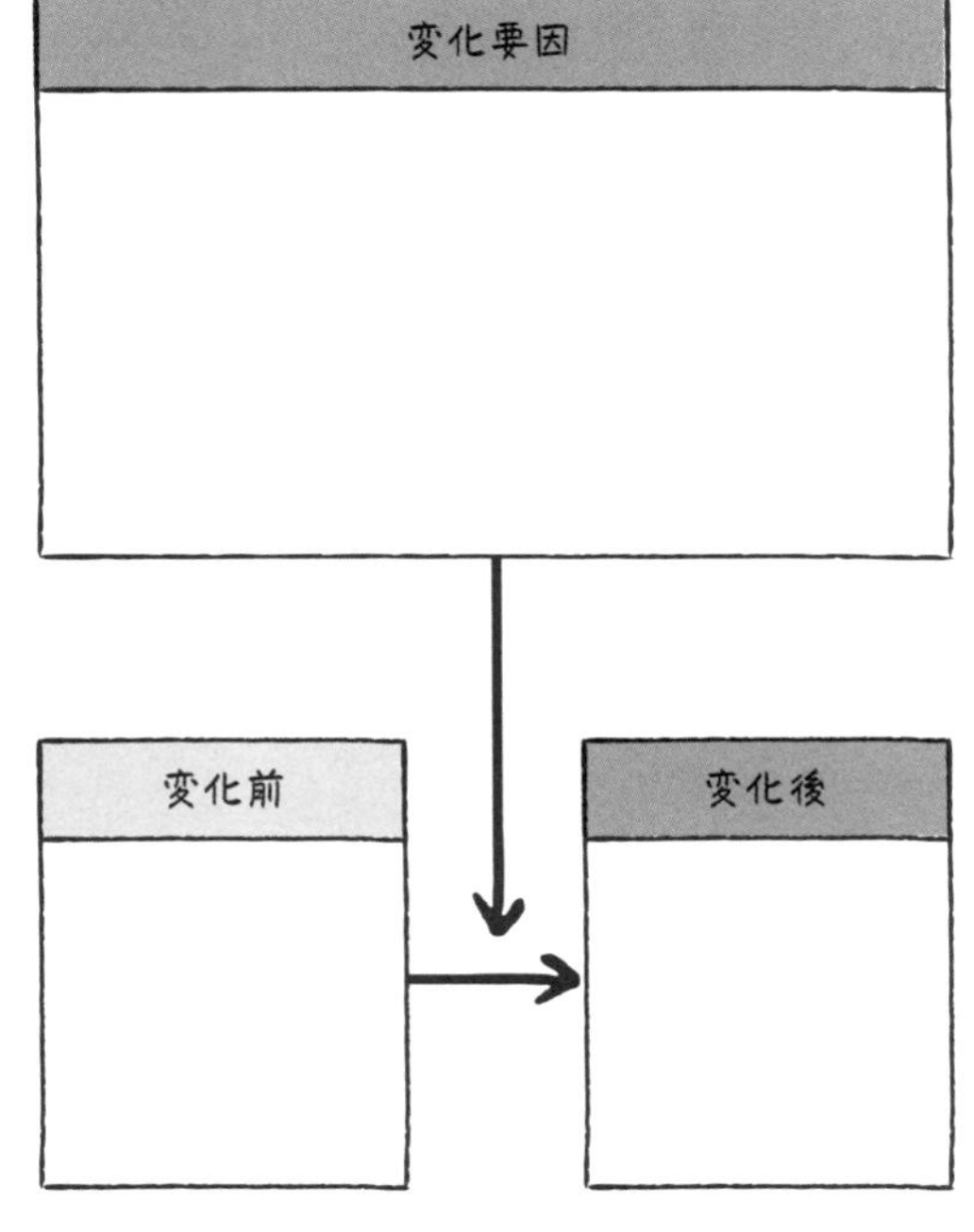

変化前・変化後、そして変化要因のテーブルです。この中に入れていくようにして、内容を整理していきましょう。

例

サヘル地域はもともと、砂漠地帯ではありませんでした。サハラ砂漠の外縁に位置してはいますが、ステップと呼ばれる草木が生えた地域で、緑がきちんとある地域でした。しかし、その草木が人為的な要因で少なくなり、砂漠になってしまっているのです。

その原因は、人口爆発です。人口が増えたことによって、その人口の食糧を用意する必要があるため、ヤギやヒツジなどの家畜を飼う量を増やしたり、農地の開発に利用するために下草を刈ってそれを燃やして草木灰と呼ばれる肥料にしたりして、草木がどんどんなくなってしまったのです。

サヘル地域の砂漠化
㊒前：もともと、ステップと呼ばれる草木が生えた地域
㊒因：人口爆発
㊒後：草木が減少＆砂漠に

さて、これで十分でしょうか？

違いますよね。先程の「イラストサイン」の復習ですが、これはまだ足りないところがあります。

「ステップと呼ばれる草木が生える」↓「人口爆発」↓「草木がなくなる」では、「↓」が足りていないんですよね。

「人口爆発」↓「増えた人口を賄うために、家畜増＆農地増」↓「草木がなくなる」というステップがあります。このように関係性をしっかりと明確化するためには、言葉を補ったりカットしたりしていく必要があるわけですね。しっかりと今までのものも踏まえて実践していきましょう！

②「二項対立と比較」テーブル

次は二項対立と比較のテーブル（フォーマット）です。先程のイラストサインをもっと比較できるようにするために、このようなテーブルを作ってそのテーブルを埋めていくように書き込んでいきましょう。

	EU	NAFTA
成立年	1993年	1994年
通貨	共通のユーロを使う	統一されていない
政治的な融合	見られる	見られない・経済的な結びつきのみ
人口	約4億5千万人	約4億8千万人

	留学に行く	日本で英会話教室に通う
金額	㊕	比較的㊙
期間	短い期間で英語力が身に付く	期間が長くかかる場合がある
距離	遠い	近い
危険性	外国なので一定の危険がある	危険はほぼない
学び	英語力だけでなく文化を学べる	基本的には英会話だけを学ぶ

	自動車通勤	電車・バス通勤
金額	燃料代や維持費などがかかる	比較的㊙
場所	目的地のすぐ近くまで行ける	駅までしかいけない
時間	好きな時間に出発できる	出発時間が決まっている、遅延や運休もある
操作	自分で運転する必要がある	乗っていれば目的地に着く
快適さ	一人だけの空間が確保される	満員の可能性がある

横軸に比較したいものを、縦軸に比較するポイントを書いていきます。図のように、同じポイントと違うポイントを横並びにして考えてみることができるわけですね。

先程同様に、二項対立は「対立する概念を考える場合」、比較は「対立するわけではないけれど類似のポイントのある物事を整理する場合」に使います。

重要なのは、同じポイントで比較していくことです。対比や比較というと、このノートでいう横軸ばかりについ目がいってしまいますが、**重要なのはその対立構造だけではなく、同じポイントで比較したときにどうなるか、という縦軸の内容**です。縦と横の両方を考えていく必要があるわけですね。

両方の共通点や、差異が現れるポイントなどを探して、そのポイントを縦軸にして書き込んでいきましょう。

③「背景と原因」テーブル

最後は、背景と原因のテーブル（フォーマット）です。

先程のものと少し違うこととして、原因を2つに分けて考えます。

間接的な原因になっている「背景」と、直接的な原因になっている「原因」の2つです。

何かの理解を深めるためには、背景と原因の両方を理解する必要があります。

たとえば、「なぜ最近、駅前の商店街に活気がなくて、シャッターを閉めたままの商店が増えているのか」という質問に対して、「多くの人が商店街で買い物をしなくなったから」というのは正しい回答だといえます。ですが、不十分ですよね。なんで買い物しなくなったのかの理由も知りたいと思いませんか？　背景には「車で移動して一括で買い物ができる大型ショッピングモールが増えたから」という理由も、「地方部で駅を利用する人が減って、車を利用する人が増えたから」という理由も考えられます。直接的な原因になっているものでなくても、背景になっている間接的な原因

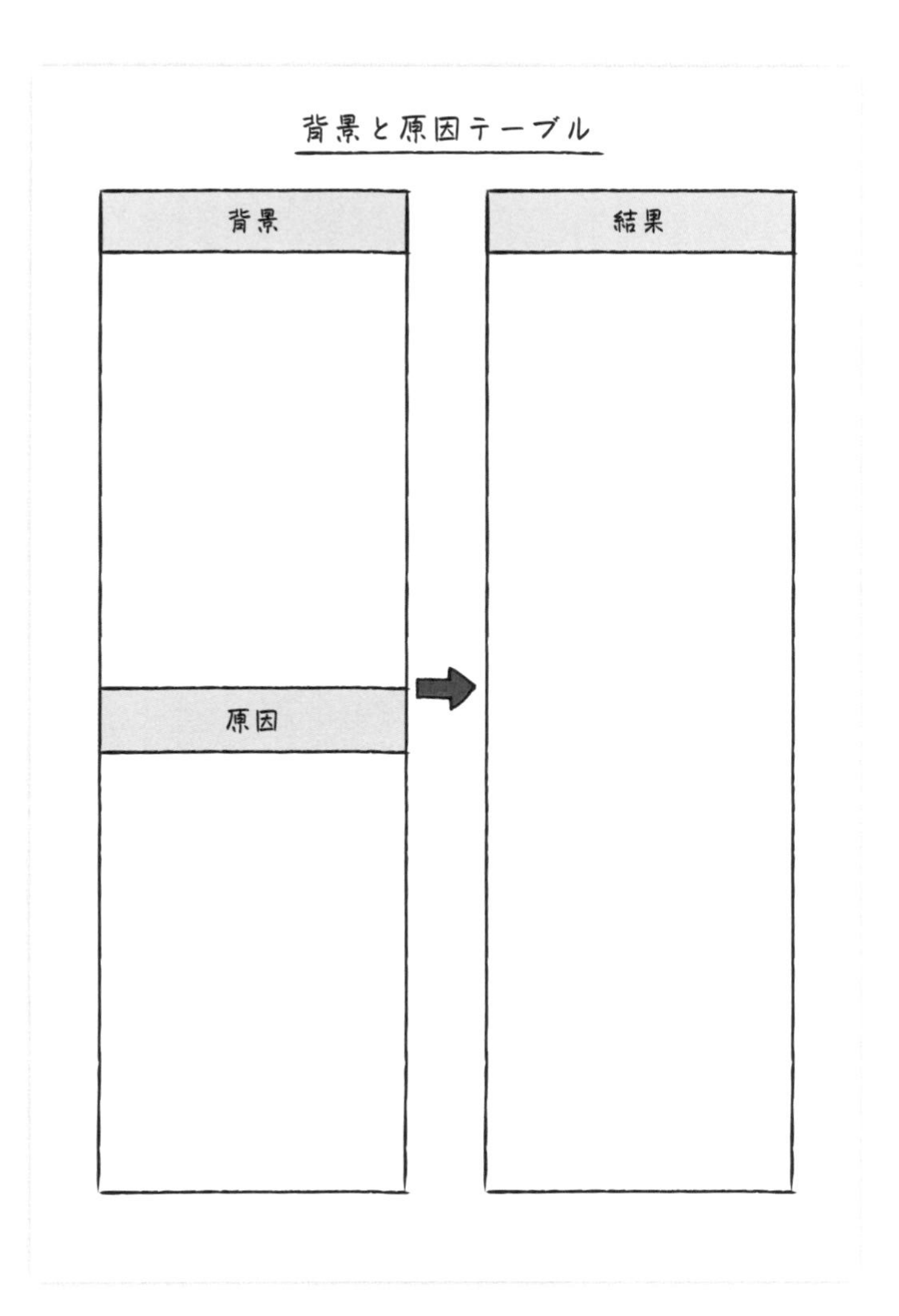
背景と原因テーブル
背景
結果
原因

まで理解できなければ、真に理解したことにはならないのです。
これらのテーブルに情報を挿入していくように、ノートを作っていきましょう！

例
背景：もともと、都心部に人口が集中していた
原因：
・住居費の高騰
・過密による騒音や排気ガス等の問題
結果：郊外への人口流出（ドーナツ化現象）

例

背景：もともと、植生に覆われた土地だった

原因：

・雨や洪水による土壌の流出

・焼畑農業

・過度な灌漑による土壌の塩性化

結果：砂漠化

アウトプットノート
情報を「理解・定着」する
★「わかる」から「できる」に変換する

A サマリールール
・言い換える
①本質を要約する
②漢字２文字で表す
③デザイン的に表す

B イラストサイン
・イラストや図で示す
① 変化
② 二項対立と比較
③ 因果関係

C テーブルカット
・フォーマットに落とし込む
① 変化前・変化後、変化要因
② 二項対立と比較
③ 背景と原因

おわりに ―ノートは「自分の思考」を映し出す

学校に行って学生たちと話をしたり、先生方と意見交換をしたりしていると、すごく強く感じることがあります。

それは、「ノートやメモは、最近、どんどん使うタイミングが減ってきているな」ということです。

この本でも何度もそんな話をしていますが、今の時代、写真を撮ればあとから振り返ることができてしまいます。音声を録音すればあとから復習できますし、その音声を機械に文字起こししてもらえば完璧なメモを作成することができます。

今の時代、「あとから見直すためだけのノートやメモ」というのは、あまり価値がなくなってきているのです。だからこそ今の生徒は昔よりも自分でノートやメモを取る習慣が少なく、それによってノートを作ったりメモを取ったりする能力が落ちてきているのだそうです。

しかしそんな中でも、ノートやメモを取らないで勉強することは不可能だと僕は思っています。

なぜなら、ノートを作ったりメモを取ったりしないと、情報は頭の中には入らないからです。情報を覚えて、自分の思考を整理し、自分で使えるようになるためには、やはり自分の言葉でノートやメモに言い換えていく作業というのが必要不可欠なのです。これは、人間の脳に外付けハードディスクが繋げられるようになるまではおそらく不可欠でしょう。

だからこそ僕は、この本を読んだみなさんに、どんどん自分自身の「ノートの取り方」の技術を磨いてもらいたいと思っています。

きちんとしたノートやメモを取ろうとすることで、人の話を聞いたときの脳への入り方や、勉強して本を読んでいるときの覚えられる度合いがまったく変わってくるはずです。

そして、そのためには、まずはノートやメモを実際に書いてみることです。

「案ずるより産むがやすし」とはよくいったもので、何もしないで結果が得られるようになることは絶対にあり得ません。経験して、やってみないと、わからないことというのはとても多く、ノート作りというのはその最たるものだと思います。

さらに言えば、みなさんにはそのノートをぜひ多くの人に見てもらうことを強くおすすめします。人に見てもらって、その人からコメントをもらうのです。「このノートはとてもわかりやすいね」とか、「このノートは意味が若干わかりづらいね」とか。そういう一つ一つのコメントが、自分の思考回路がうまくいっているところ、うまくいっていないところを教えてくれるはずです。

最初のうちは、自分で作ってみるのも、人に見てもらうのも、怖いものだと思います。うまく作れなかったらどうしよう、他人から否定されたらどうしよう、と。でも、そこを乗り越えて、多くのノートを作って多くの人に見てもらったときにこそ、得られるものがあるはずです。

みなさんにもぜひ、この本の技術を使って、ノートやメモを作ってみてほしいと思います。

西岡壱誠

［著者］

西岡壱誠（にしおか・いっせい）

1996年生まれ。東京都出身。

偏差値35から東京大学を目指すも、現役・1浪と、2年連続で不合格。

崖っぷちの状況で開発した「暗記術」「読書術」「作文術」で偏差値70、東大模試で全国4位になり、東大（文科二類）合格を果たす。

そのノウハウを全国の学生や学校の教師たちに伝えるため、2020年に株式会社カルペ・ディエムを設立。

全国20校以上の中学校と高校で学生たちに思考法・勉強法を教えているほか、教師には指導法のコンサルティングを行っている。

また、YouTubeチャンネル「ドラゴン桜チャンネル」を運営、約1万人の登録者に勉強の楽しさを伝えている。

著書はシリーズ累計40万部突破の『「読む力」と「地頭力」がいっきに身につく 東大読書』（東洋経済新報社）ほか多数。

TBS系日曜劇場『ドラゴン桜』脚本監修。

著者エージェント：アップルシード・エージェンシー
http://www.appleseed.co.jp/

「思考」が整う
東大ノート。

2023年10月3日　第1刷発行
2024年5月21日　第2刷発行

著　者――西岡壱誠
発行所――ダイヤモンド社
〒150-8409　東京都渋谷区神宮前6-12-17
https://www.diamond.co.jp/
電話／03･5778･7233（編集）　03･5778･7240（販売）
装丁――岩永香穂（MOAI）
本文デザイン/DTP――明昌堂
イラスト――髙柳浩太郎
製作進行――ダイヤモンド・グラフィック社
校正――ダブルウイング
印刷――勇進印刷
製本――ブックアート
編集担当――吉田瑞希

ISBN 978-4-478-10701-0